朱冠華 著

文史哲學集成

風詩序與左傳史實關係之研究

文史哲出版社印行

國立中央圖書館出版品預行編目資料

風詩序與左傳史實關係之研究 / 朱冠華著. --
初版. -- 臺北市 : 文史哲, 民８１
面 ;　公分. -- (文史哲學集成 ; 261)
參考書目:面
ISBN 957-547-135-0(平裝)

１. 詩經 - 批評,解釋等　２. 中國 - 歷史 -
春秋(公元前722-481)

831.18　　81003791

㉖㉑ 文史哲學集成

風詩序與左傳史實關係之研究

著者：朱冠華
出版者：文史哲出版社
登記證字號：行政院新聞局局版臺業字五三三七號
發行人：彭正雄
發行所：文史哲出版社
印刷者：文史哲出版社
台北市羅斯福路一段七十二巷四號
郵撥〇五一二八八一二彭正雄帳戶
電話：三五一一〇二八

實價新台幣二〇〇元

中華民國八十一年七月初版

ISBN 957-547-135-0

風詩序與左傳史實關係之研究　目錄

緒論

考《詩序》本於孔子而源出子夏，《左傳》親受《經》於聖人而義本於《春秋》；故二書皆薪傳於孔子而卜、左二子引申發揚。蓋在孔子以前，《詩》如史之文，民情好惡，得失盛衰之跡之所繫焉。干寶論延陵季子觀樂，以知諸侯存亡之數，短長之期，而歸於民情風教，爲家安危之本（《晉紀總論》）。孔子刪之，子夏與聞其說而爲之《序》，聖人去取之誼可得而見。然後使是詩不復如昔日之詩，而讀之者之所以能收其興觀群怨之後效也。迄陳靈淫亂之後，三訓漸失，無復風下刺上之用；於是《春秋》乃作。其後更有丘明之筆，興廢繼志，一脈相承，皆合乎聖人美刺褒貶之意，有以懲惡勸善，觀乎盛衰，垂教萬祀，此孟子「《詩》亡而後《春秋》作」之義也。故拙文率先羅列《詩序》與《左傳》相關史實；詳加剖析，進而指陳子夏丘明議論之前後相應之所由。以此探索聖人之寓意衷曲，時人之交通往來，曁政教美惡諸端，於初學研《經》，容有裨益也。降及戰國之季，《六經》多由荀卿整理而出，魯人毛亨，從其受學（註一），用師說釋《詩》，作《詁訓傳》。亦往往與《左氏》相合，足見其聞道有自，歷久不衰，信不誣也。

是篇之作，但取《詩序》《左傳》相合之事實有明文可據者爲主，並不及於《詩序》之作者與其可信性之爭辯。諸如《詩傳》、《詩說》及《三家詩》之與《毛序》異者，均不在參較之列。至如春秋列國朝聘往來所賦，爲其主在文身觀志，往往斷章取義，與史實未盡相符，且近人亦多有論列（註二），不在本文討論範圍，而考述次序，悉依《風詩》先後，不復重加編次，示尊《經》也。又本文以勾稽史事，會通《毛序》與《左書》，《詩》文訓詁，無關要義者不暇一一詳列，又文章之體例然也。

【附註】

註一　關於《毛詩》授受源流，據陸德明《經典釋文．敍錄》所引，其說有二：一是徐整謂子夏傳於高行子；另一說則謂傳於魯人曾申。據陸璣《毛詩草木鳥獸蟲魚疏》，又同於《釋文》所引一說而更爲詳盡。徐堅《初學記．經典篇》悉從之而不疑。今按《周頌．絲衣》序引高子曰（即高行子），知徐說之有據。而《維天之命》引孟仲子曰，亦見一說與陸《疏》之有自。是二說不一致，然皆有理有據，未可輕去也。《四庫全書總目提要》云：「鄭氏後漢人，陸氏三國人，並傳授《毛詩》，淵源有自，必不誣也。」陳奐《詩毛氏傳疏．自敍》云：「卜子夏，親受於孔子之門，遂檃括《詩》人本志，爲三百十一篇作《序》。

數傳至六國時魯人毛公，依《序》作《傳》，其《序》意有不盡者，《傳》乃補綴之，而於詁訓特詳，授趙人小毛公。」此言《序》《傳》之作者，及二書之成書先後甚詳，尤以陳氏奐之說最爲直截明快，足爲一篇之注腳。至於兩毛公之分別，不只在年齡長幼有所不同，而二人所處之時空亦有差異，要大毛公是荀卿弟子，六國時人；小毛公萇則是景、武間人，傳毛亨之學。有根有本，無容置疑。後世見其紛紜不一，強從一說，吾意以爲未善也。其一：高行，曾申雖屬二人，然俱爲子夏之門人最爲明顯。當年子夏徧傳《六經》，爲王者師，曾子斥其使西河之民疑於乃師，雖未足盡信。此亦見其當日講學西河之聲勢，及門人之衆多。然則子夏原本分授曾、高兩人，不無可能。而其流澤之被於後者，又各自名家；馴至支派既廣，緜邈難詳，則徐整之與一說互異，又何足怪？吾人生於千百世之下，又安知毛公並非迴翔兩派之間，左右博采，成一家之言者耶？其二：治《詩》者須從聖人經教處著眼，貴得其精理名言，使人變化氣質，學焉而得其性之所近，不然，徒碌碌滯於瞀儒妄論，又不能考溯其所從來，身陷困擾，無以自明，雖見其日從事於聖人，而相去愈遠也。

註二　如李競西《左傳引詩研究》（無錫國專季刊二十二年一冊）。
伍劍祥《春秋左傳引詩異同考》（歸納學報一卷一期）。
楊向時《左傳引詩賦詩考》（中華叢書）。

第一章《邶 風》

一、《綠衣》《燕燕》《日月》《終風》四《詩》之刺莊姜說

按《詩序》三言莊姜「傷己」。《綠衣・序》云：

衞莊姜傷己也。妾上僭，夫人失位而作是《詩》也。

《日月・序》云：

衞莊姜傷己也。遭州吁之難，傷己不見答於先君，以致窮困之《詩》也。

《終風・序》云：

衞莊姜傷己也。遭州吁之暴，見侮慢而不能正也。

按莊妾本是衞莊公正嫡，莊公溺於衽席，不以夫人見禮，以至於「妾上僭，夫人失位」，爲禍敗之所由，觀乎齊桓葵丘之會，申言「毋以妾爲妻」爲諸侯戒。然則《詩》人所傷者豈但一身？實爲莊、桓憂，爲家國天下憂也。

隱四年二月《春秋經》云：

戊申，衞州吁弒其君完。

《左氏傳》於隱公三年先《經》起事云：

莊公娶於齊東宮得臣之妹，曰莊姜，美而無子，衞人所爲賦《碩人》也。又娶於陳曰厲嬀，生孝伯，早死。其娣戴嬀生桓公。莊姜以爲己子。公子州吁。嬖人之子也。有寵而好兵，公弗禁，莊姜惡之。石碏諫曰：「臣聞愛子，教之以義方，弗納於邪，驕奢淫泆，所自邪也。四者之來，寵祿過也。將立州吁，乃定之矣；若猶未也，階之爲禍。夫寵而不驕，驕而能降，降而不憾，憾而能眕（自重）者，鮮矣。且夫賤妨貴，少陵長，遠間親，新間舊，小加大，淫破義，所謂六逆也。君義、臣行、父慈、子孝、兄愛、弟敬，所謂六順也。去順效逆，所以速禍也。君人者，將禍是務去，而速之，無乃不可乎？」弗聽。其子厚與州吁遊，禁之不可。桓公立，乃老。

《史記・衞世家》云：

莊公五年，取齊女爲夫人，好而無子。又取陳女爲夫人，生子，蚤死。陳女女弟亦幸於莊公，而生子完。完母死，莊公令夫人齊女子之，立爲太子。莊公有寵妾，生子州吁。十八年，州吁長，好兵，莊公使將。石碏諫莊公曰：「庶子好兵，使將，亂自此起。」不聽。二十三年，莊公卒，太子完立，是爲桓公。桓公二年，弟州吁驕奢，桓公絀之，州吁出奔。

《傳》言「衞莊公娶於東宮得臣之妹」，與《史記》合。此齊女即是莊姜，姓姜氏。見其地位之尊崇。唯《左傳》但言戴嬀生桓公，莊姜以爲己子，不言其死。《詩序》《毛傳》俱言《燕燕》詩是州吁弒桓後，莊姜送歸妾戴嬀之作。考桓公立在《春秋》前魯隱公四年。迄於州吁之弒，其在位已十六年，其時戴嬀尚在人間；「厥後石碏與陳謀，因殺州吁於濮。由此觀之，戴嬀大歸，正後日石碏用陳侯討賊之因也。」（註一）據此，戴嬀不特未終，而其大歸之後更有下文。故孔穎達《詩疏》及梁玉繩《史記志疑》俱以史公之誤審，（註二）是也。州吁是嬖人之子，嬖人得寵，子以母貴。由是內寵僭嫡，嬖子害正，此祿衣黃裳之所以爲喻，《日月・序》所以傷不見答於先君也。呂東萊曰：

夫人見薄，則冢嗣之位望亦輕，此國本所以傾搖也。莊姜不見答，則桓公之位何能有定乎？（註三）

莊公不能好古樂道，淫湎毀常，寵嬖人而遠嫡，《日月詩》云：「逝不相好」、「寧不我報」，見莊姜盡婦道而不獲報。昔日之不遇，以致今日之禍。由呂氏之言，則「胡能有定」一句所眩者廣矣。《左傳》隱公四年：

春，衞州吁弒桓公而立。

《史記・衞世家》云：

十六年，州吁收聚衞亡人以襲殺桓公，州吁自立爲衞君。

完弒之後，戴嬀歸陳，莊姜送之。《燕燕・序》謂「送歸妾」，則是篇乃贈別之詩甚明；莊姜之送戴嬀，望其與陳救衞，實有重大之政治作用。是則莊姜之「泣涕如雨」，所傷痛者，正惟衞國生死存亡之所攸關也。其不稱戴嬀而直稱妾者。陳奐曰：

此正名也。莊姜爲適夫人，戴嬀雖子貴，猶稱妾。以視州吁之母，身爲賤妾而上僭夫人，逆禮甚矣！《詩》之義，《春秋》之義也。（註四）

夫人以仲氏之塞淵，終溫且惠，愼淑其身，而斯人斯遇，重可哀已！莊姜與之同病相憐，能不置焉於懷乎？故煢煢兩嫠婦郊門送別，雖禮言不出於門，猶「遠送于野」；既行之遠而瞻望弗及，且猶「佇立以泣」、「實勞我心」，皆莊姜戀戀不忍訣之辭。其於無可奈何之際，且謂「先君之思，以勗寡人」，望其乃念先君莊公之故勉己助己，恩情未可斷絕，異時可復相見，其興託之情深矣！今按《禮記・坊記》引此二句。鄭玄《注》云：

此衞夫人定姜之詩也。定姜無子，立庶子衎，是爲獻公。畜，孝也。獻公無禮於定姜，定姜作詩，言獻公當思先君定公以孝於寡人也。

陸德明《坊記・釋文》：

畜，許六反。注同。《毛詩》作勗。定公之詩，此是《魯詩》。《毛詩》爲莊姜（劉向《列女傳》同。向治《魯詩》者）。

是《魯詩》、《韓詩》及《列女傳》皆以《燕燕》爲定姜所作詩也。清末皮錫瑞撰《詩經通論》，以爲變風不亡於陳靈而終於衛獻（魯成襄間），引《坊記・鄭注》爲證，其說非也。其一，若鄭說爲可信，是時定公尚在，其可稱先君乎？其二，《燕燕》之序明云「衛莊姜送歸妾」，則是《詩》作於桓公時，距獻公下隔十君。又「有《經》文『遠送于南』，爲陳在衛南之證。且與《左傳》情事適合，左證明白如此，豈尚不可信邪？」（註五）蓋鄭君初受《韓詩》於張恭祖，注《禮記》時，未得《毛詩》，故以爲是衛定姜之詩耳！及其箋《詩》，一從毛義，不復稍涉三家，可謂先迷後得主矣。故箋《毛詩》時，已與《詩序》合，以爲是衛莊姜送歸妾之詩矣。孔穎達《禮記正義》云：

與《詩》注不同者，案《鄭志》答炅模云：「注《記》時，就盧君（植），後得《毛傳》，乃改之。」凡《注》與《詩》不同，皆仿此。

按《鄭志》答炅模原云：

爲《記注》時，就盧君（治《齊詩》），先師（張恭祖，治《韓詩》）亦然。後乃得

《毛詩傳》，既古書，義又宜然，《記》注已行，不復改之。

鄭注《三禮》在前，其時未習《毛詩》，不得《小序》之說，故有此語。後見《毛傳》，爲《詩箋》，遂改其說矣。故凡《禮注》與《詩箋》不合者，一從《詩箋》，是也。戴嬀大歸之後，最爲州吁所冷遇者，莊姜是也。蓋州吁素有竊國之心，莊姜平日子桓而惡吁，其不爲吁所仄目者幾何矣！一旦鼎鼎發舒，自喩得志，遂謔浪笑敖，無所不用其極。《詩》言「終風且暴」、且霾且曀、其陰其雷。皆以與言州吁橫逆嫡母情態之甚者也。夫「飄風（疾風也）不終朝」，此言「既竟日風矣，而又暴疾。」事非尋常，以見州吁之暴慢無休止也。且《終風．序》云「見侮慢不能正」者，蓋漢賊不兩立，莊姜無時不欲正其弒逆之罪，告諸國人而誅之，惜其力有不逮者耳！然見生靈塗炭，國事之靡爛至此，思之使人「中心是悼」，願言則嚏、則懷，越發使人欷歔不能自禁者矣。

嗟乎！善積以成名，惡積以滅身，冰封三尺，非一日之寒，《易》稱「臣弒其君，子弒其父。」、「履霜堅冰至」，云「所由來者漸矣。」衞州吁之僭擬王室，顚覆宗祧，卒至於滅耳覆餗之凶，初無不由於莊公之惑於嬖妾，桓公之爲人柔懦；驕其子弟而不教以義方，忞其弄兵而不禁以安忍，以成其無君之心。當中雖有莊姜之賢而不能勸，石碏之純諫而不用，馴致弒桓而代立。惡積不可掩，罪大不可解。今跡其所以，探其所由，亦豈一朝一夕之故哉！

由辨之不早辨也。

二、《擊鼓》之怨州吁說

《擊鼓・序》云：

怨州吁也。衞州吁用兵暴亂，使公孫文仲將而平陳與宋，國人怨其勇而無禮也。

按衞州吁於魯隱公四年簒弑而立，外恐人討（亂臣賊子，人得而誅之），內憂民怨。於是先修舊怨，意圖轉移國人耳目；又再求寵於諸侯，以攫取國際之同情也。所以然者，杜預《注》曰：

諸簒立者，諸侯既與之會，則不復討，故欲求此寵。

夫簒逆之子，恐人謀己，不安於位，是以要結鄰邦，連師動衆。其意將以會求免於諸侯之討焉，杜氏之言，一語中的。而其時列國諸侯不惟不能大興問罪之師，甚者更甘爲亂賊役而不辭，則州吁之權譎計狡亦可知矣。

隱公二年《春秋經》曰：

鄭人伐衞。

《左氏傳》曰：

鄭人伐衞，討公孫滑之亂也。

按隱公元年，鄭有兄弟之隙，衞人因其餘孽（叔段之子公孫滑出奔於衞）而加兵於鄭，取其廩延。此是鄭、衞交惡之始。其後州吁脅宋伐鄭，二國交兵，迄隱之世不解，職此之由。隱公四年《經》云：

宋公、陳侯、蔡人、衞人伐鄭。

《左氏傳》曰：

宋殤公之即位也，公子馮出奔鄭。鄭人欲納之。及衞州吁立，將修先君之怨于鄭，而求寵於諸侯，以和其民。使告於宋曰：「君若伐鄭，以除君害，君爲主，敝邑以賦與陳、蔡從，則衞國之願也。」宋人許之。於是陳蔡方睦於衞，故宋公、陳侯、蔡人、衞人伐鄭，圍其東門，五日而還。秋，諸侯復伐鄭。宋公使來乞師，公辭之。羽父請以師會之，公弗許。固請而行。故書曰，「翬帥師」，諸侯之師敗鄭徒兵，取其禾而還。

州吁爲求自固，不惜阻兵安忍，用兵暴亂，殘虐其民以戰。又恐勢孤力微，非所克堪，於是彷徨籌度，因見宋公子馮在鄭，鄭爲宋患。乃逢宋殤之意，假援於宋以勉其舉兵；又借宋人之力以脅陳、蔡；計連三國之師伐鄭。《序》所謂「平陳與宋」是也。鄭君訓平爲成。成者和也。猶今世所謂同盟之意，非戡亂弭平之辭（註六）。然據沈欽韓《左傳補注》得知，此役只足以敗鄭之徒兵，未及車乘。可見鄭雖以寡敵衆，猶能禦之，未受大創也。吾獨悲夫在州吁統治下之鄭國人民，或役於土功，或亡於征役，相與處於「憂心有忡」，「死生契闊」之中，乃至於「不我活」，「不我信」。曠日勞民，怨讟極已！則州吁之不能「和其民」者亦明矣。此《序》之所以謂「國人怨其勇而無禮」者是也。四師聯侵，卒之鄭不可克，無功而還。州吁隨於是年九月爲國人所殺。是欲倖免於難，反以自速其難。

三、《新臺》《雄雉》《匏有苦葉》《氓》四《詩》之刺衛宣公説

宣公者，桓公弟，莊公庶子。有二妻：一烝於夷姜，莊公妾，宣公之庶母，而竟以之爲夫人；一爲子娶婦而自納焉。《雄雉》《匏有苦葉》，刺其上烝也；《新臺》，刺其下報也。至《氓》之《詩》，言民下化其淫矣！《雄雉．序》云：

刺衞宣公也。淫亂不恤國事，軍旅數起，大夫久役，男女怨曠，國人患之，而作是《詩》。

鄭《箋》曰：

淫亂者，荒放於妻妾，烝於夷妾之等。國人久處軍役之事，故男多曠女多怨也。男曠

而苦其事，女怨而望其君子。

按《序》之「夫人」所指究爲誰？《毛傳》初未明言，及至《鄭箋》始落實。孔穎達《匏有苦葉・正義》曰：

知非宣姜者，以宣姜本適伋子，但爲公所要，故有魚網離鴻之刺。此責夫人云「雉鳴求其牡」，非宣姜之所爲，明是夷姜求宣公，故云並爲淫亂。

依孔沖遠之意，是謂宣姜其初雖爲伋妻，而衞宣要之，過在乃父。然既與之齊，自當名正言順爲夫人，其與夷姜之性質本屬不同，不得謂之並爲淫亂也。閔二年《左氏傳》載衞宣公通於夷姜事云：

初，惠公之即位也少，齊人使昭伯烝於宣姜，不可，強之。生齊子、戴公、文公、宋桓夫人、許穆夫人。

據《傳》言「強之」，明過在宣公，然讀至《詩・匏有苦葉》「有瀰濟盈，有鷕雉鳴。濟盈不濡軌，雉鳴求其牡」等句，知過亦在夷姜也。《毛傳》云：

衞夫人有淫佚之志，授人以色，假人以辭，不顧禮之難，至使宣公有淫昏之行。

由此言，宣公未烝於夷姜，夷姜以辭色挑之，遂至宣公烝之，是夷姜亦犯禮，故《匏有苦葉

・序》言「公與夫人並爲淫亂」是也。然婚姻之際，深厲淺揭，「士如歸妻，迨冰未泮」。豈無禮義防閑於其間耶！古者婚姻納采用雁，蓋取其信；「迨冰未泮」，言得其時。今宣公隨意而行，直視禮法於無物，於是《詩》人譎諫之曰：「招招舟子，人涉卬否。人涉卬否，我須我友。」蓋言於彼衆昏之日，猶有貞女堅守禮義，雖有室家之好，但非禮義不行；縱遇彊暴之男來壓迫之，亦不能移易其志也。今在上者不能遵禮而行，曾庶士之不及，《詩》言「雄雉于飛，泄泄其羽」，「濟盈不濡，雉鳴求其牡」。刺以雄雉，託興鳥獸，蓋譏宣公日惟媚悅婦人爲能事，又與夫人不顧禮義而從公。辭皆婉而微，以媧皇煉石手段，掩共公觸山憤慨，此亦納約自牖之法也。

又《新臺・序》曰：

刺衞宣公也。納伋之妻，作新臺于河上而要之，國人惡之，而作是《詩》也。

此又言宣公之肆爲淫亂，既烝於夷姜，又作新臺以納子婦也。桓十六年《左氏傳》曰：

初，衞宣公烝於夷姜（桓公夫人），生急子。爲之娶於齊而美，公取之。生壽及朔。夷姜縊。

緣齊女之來，本是求伋，未嘗知爲宣婦者，衞宣公強納之，衞人惡甚。既爲伋不平，又替齊女不値，故言燕婉之求，而忽得此籧篨戚施之人；而「魚網之設」，本所以求魚，今也鴻反羅之，「猶齊女以禮來求世子，而得宣公」，是所得非所求矣！東坡《詩》言：「人老簪花不自羞，花應羞上老人頭。」坡公此《詩》之寓意爲何？雖難盡知，然視宣公之公然爲此鮮明高峻之臺於河上，肆爲燕婉之行，固有間矣！夫宣公之敗教傷義，乖悖倫常，所謂上有好者，下必有甚焉，則民間之俗亂，殆有不可道者必矣！《氓・序》云：

> 刺時也。宣公之時，禮義消亡，淫風大行，男女無別，遂相奔誘，華落色衰，復相棄背，或乃困而自悔，喪其妃耦，故序其事以風焉，美反正刺淫泆也。

當禮義消亡之時，男者不能正身齊家，但以諂笑佞言以淫惑女子。然此婦雖被相誘，猶知良媒以謀婚，冀得吉筮以求長久。此見婚禮之正猶未昧於人心也。惜乎女子終爲情感所迷惑，不能貞堅自守，爲蚩蚩所乘也。及其見棄之時，始猛然醒悟，先之曰：「桑之未落，其葉沃若。于嗟鳩兮，無食桑葚，于嗟女兮，無與士耽。士之耽兮，猶可說也，女之耽兮，不可說也。」繼之曰：「桑之落矣，其黃而隕。自我徂爾，三歲食貧。淇水湯湯，漸車帷裳。女也不爽，士貳其行。士也罔極，二三其德。」正如朱子所云「婦人被棄之後深自愧悔之辭。」而所以垂戒於後人者，以見女與士過樂則傷禮義之由；夫女有不同於男者，蓋士有百行，可以功過相除，婦人無外事，惟以貞潔爲先。今女而耽士，尤失其正。是其始也不正，故其終也必壞，推之《谷風》「衞人化其上淫於新昏而棄其舊室。」《有狐》之「男女失時。」並爲莊、宣兩代之所賜。此《樂記》一則曰「鄭衛之音，亂世之音也。桑間濮上之音，亡國之音也。其政散，其民流」再則曰「衛音趨數煩志」，而歸於「淫於色而害於德」，其風蓋肇乎此矣！

至《雄雉》之序又言宣公因其淫亂而不恤其民，數興軍旅，貽百姓憂。詳考《春秋》，衛宣公立於魯隱公四年「衛人殺州吁于濮」之後。明年秋，報郕人乘亂之侵，入郕。十年，與宋乘虛入鄭，更召蔡人伐戴。桓五年，周鄭交惡，鄭伯不朝王。與蔡人、陳人從王伐鄭。七年，與鄭人、齊人伐盟、向。十年，鄭太子忽救齊有功，齊人餼諸侯，魯以周班後鄭。鄭人怒，請師于齊，齊人以衛師助之，與魯戰于郎。皆其軍旅事也。五次釁爭，除報郕與從王師出征兩役，其餘都爲忿疾貪惏而起，故《詩》言「不忮不求」，隱刺其搆兵之無已，致令大夫久役於外而不得歸。又假幽人怨婦之言曰：「展矣君子，實勞我心。」此等無義之戰，使我兩地睽違，實使我心勞矣！仰視日月更迭往來，歲時如流水，而行者之歸，遙遙無期；遂致婚姻失時，男女怨曠。悠悠然深長思之，道路之阻長如此，欲往相見亦有所不能，實在令人杌隉而不安也。

四、《牆有茨》《君子偕老》之刺宣頑說

按《牆有茨・序》云：

衛人刺其上也。公子頑通乎君母，國人疾之而不可道也。

此公子頑之烝於惠公之母宣姜也。

《左傳》閔公二年云：

初，惠公之即位也少，齊人使昭伯烝於宣姜，不可，強之。生齊子，戴公、文公、宋桓夫人、許穆夫人。

按，惠公子名朔，即構伋子者。昭伯即公子頑，宣公之長庶，伋之兄也（此從服虔說）。宣姜本齊僖公之女，宣公在時即與其子公頑有淫行。竹添光鴻《左傳會箋》云：

《匏有苦葉》、《靜女》、《君子偕老》皆宣公在日刺宣姜不婦者，《邶詩》、《鄘詩》互相發。（註七）

其說甚確，而《左傳》所謂「使昭伯烝於宣姜」者，蓋僖公早知其二人有淫行，欲使正名，國人疾之，但以牆防非常，牆上生茨，雖欲去之，慮其傷於牆，又不可能。《詩》人以茨喻

頑，牆指宣姜。正謂公子頑之惡如此，國人雖欲得而誅之，然恐其傷於君母，損及國體，此中冓閫內昏淫之行，原不足掛齒，揚之適足以播其惡於衆，而所謂不可道、不可詳、不可讀者，實轉以引起國人之疾，此《詩》之微婉善諷通乎《春秋》定哀之微辭，《左氏》所謂「微而顯」者也。

又《君子偕老・序》云：

刺衞夫人也。夫人淫亂，失事君之道，故陳人君之德，服飾之盛，宜與君子偕老也。

《序》未明指其人，《毛傳》曰：「夫人，宣公夫人，惠公之母。」則亦與上章同刺宣姜，謂不能母儀一國，徒有服飾威儀之盛美，容貌皙白，委委然婉順，佗佗然和易；其立如山，其潤如河。使人驚爲天人。然其內在涵養實無慊於義，與其夫人之服本不相稱，猶且沈溺盈溢，謂之服之不衷，素餐負乘可矣！如之何能與君子偕老，從一而終，堪爲邦國之嬗媛者乎？

此《詩》二章，前端皆寫宣姜容貌服飾之盛，濃麗婉媚，固無所加。末二句始見《詩》教詣意所在；諸凡宣頑之惡，國人所譏，聖人存《詩》致戒之因由，皆一一檃栝於其中。夫宣姜之色美象服如此，而德薄內醜乃如彼，愈發使人思而鄙之，因疑世俗胡爲乎尊之如天？胡爲乎敬之如帝？果能內奉宗廟，外對賓客而無愧恥者乎？朱《傳》引呂東萊曰：「首章『子之不淑』，責之也；二章『胡然而天』，問之也；三章『展如之人，邦之媛也』，惜之也。

辭益婉而意益深矣。」（註八）其眞有得於《詩》人之心者耶？

五、《式微》《旄丘》之責衞伯說

按《式微・序》云：

黎侯寓衞，其臣勸以歸也。

又《旄丘・序》云：

責衞伯也。狄人迫逐黎侯，黎侯寓于衞，衞不能修方伯連率之職，黎之臣子以責於衞也。

按《左傳》宣公十五年晉侯伐潞，伯宗數赤路氏之罪曰：

棄仲章而奪黎氏地，三也。

杜預《注》：

黎氏，黎侯國，上黨壺關有黎亭。

依《說文》，黎，本字作䣦。《邑部》䣦字注云：「殷諸侯國，在上黨東北。」《漢書，地理志上》：「上黨，郡壺關。（自注：有羊腸版。沾水東至朝歌入淇。）」應劭曰：「黎侯國，今黎亭是。」是黎侯國位於上黨。宣十五年《左傳》言晉侯更復黎侯而還。則其地應近在潞處甚明。《續漢志》曰：「上黨郡，潞本國。」《史記・周本紀》張守節《正義》引《括地志》曰：「故黎城，黎侯國也。在潞州黎城縣東北十八里。」顧棟高《春秋大事表・列國爵姓及存滅表》：「今山西潞安府黎城縣東北十八里有黎城。」江永《春秋地考實》：「今案，潞安府之長治壺關皆黎國地，潞子奪之。」據上所引，是黎國本在上黨壺關，即今日之山西長治市西壺關一帶之地。此黎國在衞西之證也。

至黎侯寓居之處，《式微詩》言「胡爲乎中露」、「胡爲乎泥中」。毛云中露、泥中皆衞邑。又《旄丘詩》「匪車不東」。鄭《箋》：「黎國在位西，今所寓在衞東。」此言黎失國棄守之後寓於衞東也。酈道源《水經注》卷二十四曰：「瓠河又東逕黎縣故城南。孟康曰：今黎陽也。薛瓚言：按黎陽在魏郡，非此黎陽也。世謂黎侯城，昔黎侯陽寓于衞，《詩》所謂胡爲乎泥中，毛云泥中邑名，疑此城也。」是黎侯寓居於黎，而其地又名黎侯城，劉文淇《春秋左氏傳舊注疏證》從之，以爲即是《漢志》東郡之黎。彼又據焦循《春秋左傳補》之說云：「魏郡之黎陽，以黎山得名，在今衞輝府之濬縣。東郡之黎，以黎侯寓得名，在今曹州府鄆城壽張之間。黎陽既非本國，亦非寓地，孟康誤舉，故臣瓚破之。」是黎侯所寓，在今曹州府鄆城壽張之間，而其地又在衞之東也。

夫黎侯之所以寓衞，乃緣狄人迫逐之故，惟有棄而不守，出寓於衞東之中露、泥中二邑，以為衞人能振微起弊，資以兵車戍卒，助其復國。孰料衞宣之時，君荒臣惰，視之藐然。黎臣見寓衞已有年所，曠日彌久，惟恐長作寓公，因登旄丘之上，但見葛生闊節，感時物之變，草木且猶如此，何況人乎！故言「旄丘之葛兮，何誕之節兮，叔兮伯兮，何多日也。」求助於衞既事與願違，念久留於此亦於事無益，故言「胡為乎中露」、「胡為乎泥中」？曩者被逐已覺無所覆庇，今又為黎人所卑賤，更覺辱在泥塗。與其在此多留一日而多一日之苦，不若勸勉激勵其君早日返國，歸而自振自彊，生聚教訓。則尤可望其轉危為安，興復大業。此《式微》所以勸歸之意也。

又《旄丘·序》言責衞伯，下又云責於衞，究此字是衍文，抑所指者為何人？後世亦頗聚訟。孔穎達《旄丘·疏》引服虔曰：「此《詩》之作責衞宣公。」是衞伯即指衞宣，此一說也。朱子《詩序辨說》引陳氏曰：「說者以此為宣公之詩，然宣公之後百餘年，衞穆公時晉滅赤潞氏，數之以奪黎氏之地，然則此其穆公之詩乎？」是朱子又以《旄丘》為穆公時詩，此又一說也。今按衞宣公以魯桓二年卒，魯宣十五年見黎嘗為狄所滅。是年晉侯復立之，事隔百又餘歲，顯然寓衞之後仍復其國。乃意當日雖遭迫逐，而黎仍未嘗亡。彼流寓日久，雖無衞援，而仍能自歸其國，否則豈有失國百年而猶能復之乎？

愚意《詩序》不斥衞宣而指言衞伯者，乃針對衞宣之塞責言（註九），蓋隱涵黎人怨恨衞宣坐視不救，不能內外相比，患難相救之情切者也。

緣康叔之封衞，本是牧伯，實居五侯之長，非伯而何？《史記・衞世家》自康叔以迄於頃公七世，皆名伯，此其證矣。伯也者，憂患相屬，小大相維之謂。今黎本衞之附庸，劉向《列女傳・貞順篇》更謂衞侯之女爲黎莊夫人，是則黎侯寓衞，即女婿而寄食於岳丈之家者，在公在私，此黎臣之所以望其修先世連率之職也。何義門曰：「黎爲衞之屏蔽，今爲狄人迫逐而不加存恤，此他日狄難所由及也。」（註一〇）是衞宣之坐視，非惟姻親之道絕，乃四鄰之道絕，抑亦脣亡而齒寒矣！使時有桓、文之霸在，則黎人何致望於衞之如此情切者哉！不知救黎驅狄，不特連率睦鄰，且以自保；而坐視姑息，反以致禍。越後四十餘年，而狄患終以及衞，是豈上天之好還如此其速耶？《旄丘詩》之末章曰：「瑣兮尾兮，流離之子。叔兮伯兮，褎如充耳。」蓋譏衞之上下苟安旦夕，百度廢弛，徒有褎然尊盛之服飾，而德不能稱。始則笑言啞啞，其終必有鼎折覆餗之凶，良有以也。《左傳》昭公二十五年曰：

> 叔孫諾聘於宋，桐門右師見之。語，卑宋大夫而賤司城氏。昭子告其人曰，「右師其亡乎！君子貴其身，而後能及人，是以有禮。今夫子卑其大夫而賤其宗，是賤其身也，能有禮乎？無禮，必亡。」

夫人必自侮，而後人侮之；己固自絕於人，然後人絕之。觀《木瓜》之詩，見衞人之德齊也深；讀是篇之作，知黎人之怨衞也切。若以此易彼，則衞之不血食也久矣！

六、《二子乘舟》之傷伋壽說

按《序》云：

思伋、壽也。衞宣公之二子爭相爲死，國人傷而思之，作是《詩》也。

此《詩》述衞宣公家庭倫常慘變，由男女之淫禍，遂連累而及其繼嗣者。《左傳》桓公十六年載此事云：

初，衞宣公烝於夷姜（桓公夫人），生急子，（《史記》作伋）屬諸右公子（名職。按毛奇齡曰：公子無左右，但娶有左右媵。右公子者，右媵之子，即宣公庶弟也。屬者，使撫之也。）。爲之娶於齊而美，公取之。生壽及朔。屬壽於左公子（名洩）。夷姜縊。宣姜與公子朔構急子。公使諸齊。使盜待諸莘（衞地），將殺之。壽子告之使行。不可，曰：「棄父之命，惡用子矣？有無父之國則可也。」及行，飲以酒。壽子載其旌以先盜殺之。急子至，曰：「我之求也，子何罪？請殺我乎！」又殺之。二公子故怨惠公（朔立爲惠公）。十一月，左公子洩、右公子職立公子黔牟。惠公奔齊（齊爲母舅家）。

又《詩》文首二句「二子乘舟，汎汎其景」下，《毛傳》云：

二子，伋、壽也。宣公爲伋取於齊女而美，公奪之。生壽及朔。朔與其母愬伋於公。公令伋之齊，使賊先待於隘而殺之。壽知之。以告伋，使去之。伋曰：「君命也，不可以逃。」壽竊其節而先往，賊殺之。伋至。曰：「君命殺我，壽有何罪？」賊又殺之。國人傷其涉危遂往，如乘舟而無所薄，汎汎然疾而不礙也。

劉向《新序・節士篇》云：

衞宣公之子伋也、壽也、朔也。伋，前母子也；壽與朔，後母子也。壽之母與朔謀，欲殺太子伋而立壽也。使人與伋乘舟於河中，將沉而殺之，壽知不能止也。因與之同舟，舟人不得殺伋。方乘舟時，伋傅母恐其死也，閔而作詩，《二子乘舟》之《詩》是也。於是壽閔其兄之且見害，作憂思之詩，《黍離》之《詩》是也。又使伋之齊，將使盜見載旌要而殺之。壽止伋，伋曰：「棄父之命，非子之道也。不可。」壽又與之偕行，壽之母知不能止也。因戒之曰：「壽！無爲前也！」壽又爲前竊伋旌以先行。幾及齊矣，盜見而殺之。伋至，見壽之死，痛其代己死，涕泣悲哀，遂載其屍還，至

境而自殺，兄弟俱死。故君子義此二人而傷宣公之聽讒也。（註一一）

《史記・衞世家》云：

十八年，初，宣公愛夫人夷姜，夷姜生子伋，以爲太子，而令右公子傅之。右公子爲太子取齊女，未入室，而宣公見所欲爲太子婦者好，說而自取之，更爲太子取他女。宣公得齊女，生子壽、子朔，令左公子傅之。太子伋母死，宣公正夫人與朔共讒惡太子伋。宣公自以其奪太子妻也，心惡太子，欲廢之。及聞其惡，大怒，乃使太子伋於齊而令盜遮界上殺之。與太子白旄，而告界盜見持白旄者殺之。且行，子朔之兄壽，太子異母弟也，知朔之惡太子而君欲殺之，乃謂太子曰：「界盜見太子白旄，即殺太子，太子可毋行。」太子曰：「逆父命求生，不可。」遂行。壽見太子不止，乃盜其白旄而先馳至界。界盜見其驗，即殺之。壽已死，而太子伋又至，謂盜曰：「所當殺乃我也。」盜並殺太子伋，以報宣公。宣公乃以　朔爲太子。十九年，宣公卒，太子朔立，是爲惠公。

綜上諸書所載，伋、壽涉危，爭相爲死，辭雖少異，而旨則大同。蓋此事於當時必爲國際大事，廣泛流傳，人所共知。獨劉向謂「伋之傅母恐其死而作《二子乘舟》」，與《詩序》以爲「國人傷而思之」之作者不同。更謂「壽閔其兄作憂思之詩，《黍離》是也」云云。按向治《魯詩》，其說或本於魯人浮丘伯（伯授楚元王交，向乃交之孫），然《黍離》是《王風》之首，《二子乘舟》乃《衞風》之末。《王》次於《衞》，篇次井然；聖人删《詩》，必得其實。向蓋涉編次而誤，未可盡信也。（註一二）

南宋洪邁《容齋五筆》又以宣公烝亂之事成於即位後，在時間上難於消破。因而對伋、壽爭死之事產生懷疑，不可從也。（註一三）

今按《左傳》以「初」字明宣公上淫庶母之時間；《史記》又言「初，宣公愛夫人夷姜」，則此「夫人」之名號用之於莊公之世亦未嘗不可。且其嗣爲諸侯，去父亡已十六年，伋子之生，當在莊公身後時事；況其兄桓公爲人闇弱，彼能容忍卅吁之驕縱，當亦無奈於母弟之烝淫。清儒胡承拱曰：

《新臺》之作，當在即位之初；烝夷姜而生伋子，自當在其兄桓公之世。《左傳》於此事原委分明，無不可信。諸儒皆疑其所不必疑者也。（註一四）

緣宣公之行穢不父，既要其媳，又從而殺子，三綱以滅，亂人倫之極矣！故《新臺》詩已直言其泚，蓋喻鮮明峻潔之臺而盈其淫汚之行也。夫人主之惑於女色，致令倫常慘變，家庭破裂，二子痛不欲生，以致赴死涉危而不顧，有似乘舟之汎汎而無所依戀維繫。國人憐而哀之，欲救之而不可得，中心養養焉憂，此《詩》之所以爲作也。聖人存之，豈無深義存焉？後世乃有踵其惡者，如楚平爲太子建娶妻而殺建（註一五），皆見天理之滅絕與人欲之橫流。昔子產戒蔡侯之惡曰：「其爲君也，淫而不父，僑聞之，如是者，恒有子禍。（註一六）」蔡侯與兒媳通姦，卒爲世子班所弒；懿公爲狄所滅；楚平有鞭尸之憂。三者所爲，皆有餘殃。則人君於閨門衽席之間，可不愼哉！近百年間，秉國均者，夫婦之倫皆不得其正，生民之禍亦相終始。然則《詩》與《春秋》教其可不再加講求乎！

至二子之輕生，亦有未合於義者：若伋之知死而不避，誤以無傷父志以爲仁。壽之爭死亦如之，既無救於兄，又不能奔死免父，皆死非其所，直增父過耳！與後來孔門教孝之義警戒乎「義與不義」相去何遠？《韓詩外傳》載夫子教曾子行孝之言曰：

> 曾子有過，曾晳引杖擊之仆地。有間，乃蘇起，曰：「先生得無病乎？」魯人賢曾子，以告夫子。夫子告門人：「參來！汝不聞昔者舜爲人子乎？小箠則待笞，大杖則逃；索而使之，未嘗不在側；索而殺之，未嘗可得。今汝委身以待暴怒，拱立不去，非王者之民，其罪何如？」（亦見《說苑，建本篇》）（註一七）

夫舜之爲子，大杖則走，小杖則受，從正不從亂，安有委身承志以爲孝之理哉！爲人子女者，於其有生之年，自當建立積極之人生觀，「追求一己生命之來源與去路，以爲安身立命之所」。於其生也，「認定一切精神、形體、思想、行爲都要向生命來源負責」；於其「形體生命結束時，精神生命，轉而爲子孫爲出路。」（註一八）此見一己之身，乃肩負承先啓後，繼往開來之重擔。故爾一出言，一舉足，不敢忘父母；全受全歸，方爲有得者是也。由此言，伋、壽之不能避害而爭死，君子知其非義，而不能爲法於天下後世也。

復次，關於此《詩》之「乘舟」事，後世或以二子明死於陸，以爲是借喻之辭者，其說亦非。據顧棟高《春秋大事表・列國山川表》言，衞地本多河曲水道。如衞分境之處，即有濟水。衞宣之世，尙都朝歌，其地在河之南，是故有「河上」之稱，《序》言其「作新臺於河上」是也。閔二年，衞爲狄所敗，文公率遺民渡河，野處于漕。考其地望，蓋從黎陽南渡白馬津（亦稱延津），又在濱河之處。再按之《詩》文，「送子涉淇，至於頓丘。」（《氓詩》）「誰謂河廣，一葦杭之。」（《河廣》）「泉水在左，淇水在右。」（《竹竿》）皆衞地多河道之證。二子所赴之莘，其地本在衞之東境，與齊接壤處，餘外亦有淇水、滎澤、濮水、與黃河等流，皆在朝歌之東。《詩》言「汎汎其景」、「汎汎其逝」，即寫二子自都適莘乘舟渡濟經歷之狀，讀者不必因其死於陸而視之只爲《詩》人託空之辭也。

【附　註】

註　一　引文見日人竹添光鴻《毛詩會箋》卷二・第二零七葉・台灣大通書局・民國六十四年九月再版。

註二　梁玉繩《史記志疑》卷二十・第九三三葉・北京中華書局・一九八一年四月一版。

註三　引文見陳啓源《毛詩稽古篇》・《皇清經解》卷六十二・第八三二葉・復興書局・民國六十一年十一月再版。

註四　同上註・陳奐《詩毛氏傳疏》卷三・《皇清經解續篇》・第九零九葉。

註五　同上註・胡承洪《毛詩後箋》・《皇清經解續篇》・第五一五三葉。

註六　按清儒姚際恆《詩經通論》以此詩所指，乃魯宣公十二年宋師伐陳、衞發兵救陳之事言。今知其不然者，州吁爲著修怨求寵，正賴以外交手段聯合四國之力以自鞏固，乃屬當前首要之務，伐鄭與否仍屬其次（州吁之敗，敗於伐鄭，導致力量削弱，爲石碏所乘耳）。鄭君訓平爲成，平者，總言四國和也。僖公三十二年《左傳》：「春，楚鬥章請平于晉。夏，狄有亂。衞人侵狄，狄請平焉。」宣十五年《春秋經》：「夏五月，宋人及楚人平。」《公羊傳》曰：「外平不書，此何以書？大其平也。」《左氏傳》曰：「夏五月，楚師將去宋，申犀稽首於王之馬前曰：『無畏知死而不敢廢王命，王棄言焉。』王不能答。申叔時僕，曰：『築室，反耕者，宋人必從命。』從之，宋人懼，使華元夜入楚師，登子反之床，起之，曰：『寡君使元以病告，曰：敝邑易子而食，析骸以爨。雖然，城下之盟，有以國斃，不能從也。去我三十里，唯命是聽。子反懼，與之盟，而告王。退三十里，宋及楚平。」又襄公二十六年《左傳》曰：「及宋向戌將平晉楚。」總上所引，凡「平」皆有「和」義，知鄭注之有本也。〈晏子春秋內篇諫上〉：「請散師以平宋。」張純一注：「和好曰平。」王先謙《詩三家義集疏》亦以爲「此詩是與陳宋伐鄭之役軍士所作。」是也。姚說非是。

註七　竹添光鴻《左傳會箋》第四・第十七葉・臺灣新文豐出版公司・民國六十七年版。

註八　朱子《詩經集傳》・卷二・第廿一葉・臺灣世界書局・民國七十年五版。

註九　《序》方伯，自是方伯之伯。《詩》稱叔伯，指其臣。斥其臣而不斥其君，婉辭也。

註一〇　何焯《義門讀書記》・第七卷・《詩經上》。北京中華書局・第一三七葉・一九八七年版。

註一一　劉向《新序・節士篇》卷七・《漢魏叢書》本・第八二三葉・新興書局・民國六十六年版。

註一二　此據王應麟說・見《翁注困學紀聞》卷三・《詩》類・「作《黍離》或壽或伯封」條・中華書局・民國五十九年六月版。

註一三　洪邁《容齋隨筆・五筆》卷十・第九二一葉。

註一四　胡承洪《毛詩後箋》卷三・《皇清經解續篇》・第五一八五葉・復興書局・民國六十一年十一月版。

註一五　見《左傳》昭公十九及二十年。

註一六　見《左傳》襄公二十八年。

註一七　同上註一・《韓詩外傳》卷八・第一三三葉。

註一八　引文見　蘇師文擢《邃加室講論集》・《孝道之傳統與現代》・第三一三葉・文史哲出版社・民國七十四年十月增訂再版。

第二章 《鄘 風》

一、《定之方中》《蝃蝀》《相鼠》《干旄》《載馳》五《詩》之美衛文公説

按《衛詩》共三十九篇，中除《淇奧》一首美衛武公之德，其性質相當於衛國之頌外，其餘多怨時刺淫之作。讀《凱風》《靜女》之篇，知民風之乖刺不靖。《新臺》、《牆茨》、《偕老》諸作，知公室世族在上位者之淫亂失德。至《鶉之奔奔》、《桑中》二詩，衛風之衰極矣上下之人，舉國皆若狂，吾以是知衛之爲狄所覬覦者久矣！國之將亡，本必先顛。不然，則區區之狄，何能一旦舉堂堂宗邦之國，若摧枯拉朽焉？《易》曰：「履霜堅冰至。」衛之失國，非一朝一夕之故，其所由來者漸矣！

《定之方中·序》云：

美衛文公也。衛爲狄所滅，東徙渡河，野處漕邑。齊桓公攘戎狄而封之，文公徙居楚

丘，始建城市而營宮室，得其時制，百姓說之，國家殷富焉。

此言衛懿公之失國與文公之復國也。閔公二年（春秋經）曰：

十有二月，狄入衛。

《左氏傳》曰：

冬十二月，狄人伐衛。衛懿公好鶴，鶴有乘軒者。將戰，國人受甲者皆曰：「使鶴！鶴實有祿位！余焉能戰？」公與石祁子玦，與甯莊子矢，使守，曰：「以此贊國，擇利而爲之。」與夫人繡衣，曰：「聽於二子！」渠孔御戎，子伯爲右；黃夷前驅，孔嬰齊殿。及狄人戰於熒澤，衛師敗績，遂滅衛人。衛侯不去其旗，是以甚敗。狄人囚史華龍滑與禮孔，以逐衛人。二人曰：「我，大史也，實掌其祭。不先，國不可得也。」乃先之。至。則告守曰：「不可待也。」夜與國人出。狄入衛，遂從之　又敗諸河。

《史記·衛世家》：

懿公即位，好鶴，淫樂奢侈。九年，翟伐衛。衛懿公欲發兵，兵或畔。大臣言曰：「君好鶴，鶴可令擊翟。」翟於是遂入，殺懿公。

賈誼《新書》卷六記此事有更活　，曰：

衛懿公喜鶴，鶴有飾以文繡而乘軒者，賦斂繁多而不顧其民，貴優而輕大臣。群臣或諫則面叱之。及翟伐衞，寇挾城堞矣！衞君垂泣而拜其臣民曰：「寇迫矣！士民其勉之！」士民曰：「君亦使君之貴優將君之愛鶴以爲君戰矣！我儕棄人也！安能守戰！」乃潰門而出走，翟遂入衞。君奔死，遂喪其國。

衞之失民久矣！故懿公之時，敵至而不支，一戰而遂亡，此因淫邪而招致禍敗者也。懿公死，國人復立伋母弟昭伯之子申爲戴公，廬於漕。《史記・衞世家》言：

懿公之立也，百姓大臣皆不服（國人仍惡惠公朔之殺子伋故）。自懿公父惠公朔之讒殺太子伋代立至於懿公，常欲敗之，卒滅惠公之後而更立黔牟之弟昭伯頑之子申爲君，是爲戴公。初，翟殺懿公也，衞人憐之，思復立宣公前死太子伋之後，伋子又死，而代伋死者子壽又無子。太子伋同母弟二人：其一曰黔牟，黔牟嘗代惠公爲君，八年復去；其二曰昭伯。昭伯、黔牟皆已前死，故立昭伯子申爲戴公。戴公卒，復立其弟燬爲文公。

緣昭伯與黔牟、伋皆同母弟，而戴公、文公、宋桓夫人、許穆夫人又皆昭伯烝於宣姜所生，閔二年《左氏傳》載此事云：

初，惠公之即位也少（註一），齊人使昭伯烝於宣姜，不可，強之。生齊子、戴公、文公、宋桓夫人、許穆夫人。

宗國顚覆危亡，乃人情之至痛。宋與許皆衞婚姻之國，而戴公渡河廬漕，宋桓公逆而濟之；既嫁之女與有力焉。《傳》戴宋人救衞之事曰：

文公爲衞之多患也，先適齊。及敗，宋桓公逆諸河，衞之遺民男女七百有三十人。益之以共、滕之民爲五千人。立戴公以廬于漕。

夫宋之所以救衞，以宋桓夫人卽宋襄公之母故也。至許穆夫人亦閔念衞之亡而欲歸唁其兄。但以禮，父母歿，不得歸寧；許人又不能因事制誼，通達其變，遂賦《載馳》之詩以見志焉。彼《序》云：

許穆夫人作也。閔其宗國顚覆，自傷不能救也。衞懿公爲狄人所滅，國人分散，露於漕邑，許穆夫人閔衞之亡，傷許之小，力不能救，思歸唁其兄，又義不得，故賦是《詩》也。

夫強生之子而有是行，可謂芝蘭無根，醴泉無源。於其未嫁之先，知者已「善其慈惠而遠識」（《列女傳》語）者矣。劉向《列女傳》曰：

初，許求之，齊亦求之。懿公將與許，女因其傅母而言曰：「齊大而近，今之世，彊者爲雄，如使邊境有寇戎之事，維是四方之故，赴告大國，妾在，不猶愈乎？」衞侯不聽而嫁之許。

劉向以許穆夫人為懿公之女，與《左傳》不合，梁無非《校注》或以為女下脫弟字（註二），是也。國之興亡，匹夫有責，「女子善懷，亦各有行」，凡許人之種種施為，皆不能及夫人之自我計量者，故言「百爾所思，不如我所之」。婦人念慮及此，雖烈丈夫之志亦不過如是，尤允可尚矣。惜乎許之不能出一旅以救，其大夫又不能聽，「既不我嘉，不能旋返」「不能旋濟」。宋之不能救，斯亦已矣！若之何阻其返國歸唁乃兄未來之家國前途將又如何如何？有心人宜不若是恝也！此在孝愛不忘本之人觀之，豈能無怨者耶？於是直斥之曰「不臧」，「衆稚且狂」，斯所謂訴之情也。又曰「百爾所思，不如我所之」斤斯證之理也。而終以「控于大邦」意必有求於齊者，斯又坐言起行也。故閔二年《傳》載齊人救衞之事曰：

齊侯使公子無虧帥車三百乘、甲士三千人以戍曹。歸公乘馬，祭服五稱，牛、羊、豕、鷄、狗皆三百與門材。歸夫人魚軒，重錦三十兩。

又曰：

僖之元年，齊桓公遷邢于夷儀。二年，封衞于楚丘。邢遷如歸，衞國忘亡。

齊桓之不能救衞於前，而惟救之於狄敗之後者，蓋其時狄先伐邢，明年魯有內亂。桓公於此二年間，內外兼顧，曾無虛月。狄於是乘其未暇謀衞，而衞已亡矣。何義門曰：

劉向《新序》曰：「齊桓公求婚于衞，衞不與而嫁于許。衞為狄所伐，桓公不救，至于國滅身死。」可爲說此《詩》廣異聞。襄七云：「考其時，狄入衞在閔公二年冬，此《詩》之四章曰：『我行其野，芃芃其麥。』殆背冬涉春，麥秋將至矣。夫閱數月而救援不至，則與國之充耳可知，其與黎臣之言葛之誕節者何以異？《左氏》于許穆夫人賦《載馳》之下，即係以齊侯使公子無虧帥師戍漕云云，則是《詩》有以激之耳。（註三）

嘗反復《載馳》之詩，其溫厚之情，剛勁之性，卓越之識，流露而爲千古第一題名之女詩人，亦以婦人而介入救亡之第一事。惜乎《左傳》但言其賦詩，而未及其控于齊桓之事實，後世遂有謂桓公救衞出於「弘演納肝」忠烈所感（註四），似於事實未符矣！

文公承破滅之餘，總結亡國教訓，方將撥亂以爲治，轉危爲安。於是作于楚宮，作于楚室；又建城市，使民安居樂業，皆得時制。由是國家富足，故騋牝三千是也。

《左氏傳》曰：

衞文公大布之衣、大帛之冠，務財訓農，通商惠工，敬教勸學，授方任能，元年，革車三十乘；季年，乃三百乘。

《史記．衞世家》：

文公初立，輕賦平罪，身自勞，與百姓同苦，以收衞民。

夫大兵之後，當斯民且猶暴露野次，救死扶傷之不暇，文公乃大興土木，驅之於鋒鏑版築之間，而衞人乃忘其死，忘其勞，反作《定之方中》詩公美之何哉？蓋使之得其時，營之非爲己，而文公本身，亦如勾踐之臥薪嘗膽，躬親勞來，則民安得不悅。如是者富而後教，於是《蝃蝀》以止淫，《相鼠》以明禮，《干旄》以好賢樂善，其與《召南》之《草蟲》《行露》；《周南》之《兔罝》，何相似也《註五》。

《蝃蝀序》云：

止奔也。衞文公能以道化其民，淫奔之恥，國人不齒也。

夫「丈夫生而願爲之有室，女子生而願爲之有家（註六）」，婚姻之際，男女之大欲存焉，此亦人之恆情，無所厚非，故言「女子有行，遠父母兄弟」。惟吾人除順此自然生命食色之欲外，更應兼重於仁義禮智之心以節制之。斷斷不能只懷婚姻，而「大無信也，不知命也」。否則此食色之軀，便無以自別於禽獸者矣！此見文公以禮養人之欲，給人之求，既能循乎天理，又能合乎匹夫匹婦之無知而因勢利導。非徒止其惡，且亦有以進其德，《詩》意委婉而純正。至《相鼠・序》云：

刺無禮也。正群臣而刺在位，承先君之化，無禮儀也。

直斥之曰：「人而無儀，不死何爲？」「人而無止，不死何俟？」「人而無禮，胡不遄死？」

語氣疾惡而直切，見其遷善改過之決心。如是而民乃知不善之爲可恥，其有淫奔之行者，人遂不與之齒。人有羞恥之心，於是洗心革面，以禮自守。而淫奔之風，亦於焉自息者矣。更有甚者，風俗之一變，其在《干旄・序》云：

美好善也。衞文公臣子多好善，賢者樂告以善道也。

《詩》言臣子以干旄就見賢者，於「浚之郊」、「浚之都」、「浚之城」。賢者感其恩遇款誠，遂盡「以畀之」，盡「以告之」，又見其心之情愛無所吝，不盡關于君上之化，苟臣子不能好賢，則惟恐害賢。人君雖有求材之渴，亦致沮隔不能上達；唯有好善一途，出自臣子斷斷之誠，休休之量，君臣由是協力同心，共渡艱難。按之《左傳》，文公立於魯僖元年，卒於二十五年，此二十五年間，其政績見於《左傳》者，乃概述之詞，而見於《詩序》者，乃民風政教之實。此見義理之悅心，猶芻豢之悅口，天理民彝未嘗一日泯絕。若文公者，可謂能善化矣！

二、《木瓜》之美齊桓公說

按本篇原在《衞風》，惟以所言與文公復國事相連屬故，特置於此也。

《木瓜・序》云：

美齊桓公也。衞國有狄敗，出處于漕，齊桓公救而封之，遺之車馬器服焉，衞人思之，欲厚報之，而作是《詩》也。

按《左傳》閔公二年載齊人救衞之事曰：

齊侯使公子無虧帥車三百乘、甲士三千人以戍曹。歸公乘馬，祭服五稱，牛、羊、豕、鷄、狗皆三百與門材。歸夫人魚軒，錦三十兩。

又曰：

僖之元年，齊桓公遷邢于夷儀。二年，封衞于楚丘。邢遷如歸，衞國忘亡。

《國語・齊語》曰：

狄人攻衞，衞人出廬于曹，桓公城楚丘以封之。其畜散而無育，桓公繫之馬三百。天下諸侯稱仁焉。

《史記・衞世家》：

戴公申元年卒。齊桓公以衞數亂，乃率諸侯伐翟，爲衞築楚丘，立戴公弟燬爲衞君，是爲文公。

據上述諸書所載，齊桓公之於衞，存亡繼絕，出其民於水火之中，而免於被髮左衽之難，則衞文戴桓之德亦可知矣！故設言投輕報重，以見衞人之欲盡其所有，以報其厚德。《毛傳》引《孔叢子》（《記義篇》）孔子曰：「吾於木瓜，見苞苴之禮行。」然此中之所謂報，又豈能補其百一哉！尋想徒慚，則此心此意，惟要之以子孫世世不忘而已，又豈在物質之間耶？故曰：「匪報也，永以爲好也」，是也。

【附註】

註一　按《芄蘭・序》云：「刺惠公也。驕而無禮，大夫刺之。」鄭《箋》：「惠公幼童即位，自謂有才能而驕慢於大臣，但習威儀，不知爲政以禮。」是《詩》中童子即指其少。

註二　劉向《列女傳》卷三・《許穆夫人傳》。

註三　何焯《義門讀書記》・第七卷・《詩經上》・第一三八葉・中華書局・一九八七年版。

註四　《說苑・義勇篇》：「衞懿公有臣曰弘演，遠使未還。狄人攻衞，其民曰：「君之所與祿位者鶴也；所富者官人也。君使富者與鶴戰，余焉能戰？」遂潰而去。狄人追及懿公於滎澤，殺之。盡食其肉，獨舍其肝，弘演至，報使於肝畢，呼天而號，盡哀而止。曰：「臣請爲表。」因自刺其腹，內懿公之肝而死。桓公聞之，曰：「衞之亡也以無道，今有臣若此，不可不存。」於是救衞於楚丘。」亦見《韓詩外傳》卷七、劉向《新序・義勇篇》、《呂氏春秋・仲冬紀・忠廉篇》。

註五　《草蟲・序》：「大夫妻能以禮自防也。」《行露・序》「召伯聽訟也。衰亂之俗微，貞信之教興，彊暴之男，不能侵陵貞女也。」《兔罝・序》「后妃之化也。《關雎》之化行，則人莫不好德，賢人衆多也。」

註六 《孟子・滕文公下》。

第三章　《衛　風》

一、《碩人》之閔莊姜說

按《碩人·序》云：

閔莊姜也。莊公惑於嬖妾，使驕上僭。莊姜賢而不答，終以無子，國人閔而憂之。

按初讀《詩》，但覺只言夫人之貌美、戚貴，與來嫁之盛，乃不見其有可閔之處者。

隱四年二月《春秋經》：

戊申，衞州吁弒其君完。

《左氏傳》於隱公三年先發《經》曰：

衞莊公娶於齊東宮得臣之妹，曰莊姜，美而無子，衞人所爲賦《碩人》也。又娶於陳曰厲嬀，生孝伯，早死。其娣戴嬀生桓公。莊姜以爲己子。公子州吁。嬖人之子也。有寵而好兵，公弗禁，莊姜惡之。石碏諫曰：「臣聞愛子，教之義方。弗納於邪，驕奢淫泆，所自邪也。四者之來，寵祿過也。將立州吁，乃定之矣；若猶未也，階之爲禍。夫寵而不驕，驕而能降，降而不憾，憾而能眕（自重）者，鮮矣。且夫賤妨貴，少陵長，遠間親，新間舊，小加大，淫破義，所謂六逆也。君義、臣行、父慈、子孝、兄愛、弟敬，所謂六順也。去順效逆，所以速禍也。君人者，將禍是務去，而速之，無乃不可乎？」弗聽。其子厚與州吁遊，禁之不可。桓公立，乃老。

由《傳》之載，知衞莊公之昏惑，不知有德，使嬖妾驕恣上僭，反令此碩大俊美之國君夫人不見答，此《序》所以言其可閔之由也。更讀《詩》文，乃知《詩》人更推本其可閔之情，盛言其外在客觀之容貌，族源，盛飾之種種；以及於「大夫夙退，無使君勞」之感其賢德，樂得配君。愈發使人傷其失位，歎其不然也。按之《春秋世譜》，衞桓公元於魯隱元年即位已十三年，《左傳》本文乃追述春秋前事，以爲隱四年州吁弑元之張本。其莊公惑妾已略詳第一章，而於此《碩人》之篇，乃編次於衞莊公之昏淫失德，固略見於石碏之諫詞。而《考槃》一序曰：「刺莊公也。不能繼先公之業，使賢者退而窮處。」先公者，何耄而好學以作《抑》戒聞之衞武公也。然則莊姜遇人不淑固可閔矣！何獨惑於妾而已哉！抑考之劉向《列女傳・齊女傅母篇》曰：

傅母者，齊女之傅母也。女爲衞莊公夫人，號曰莊姜，姜姣好，始往，操行衰惰，有治容之行，淫佚之心。傅母見其婦道不正，諭之曰：「子之家世世尊榮，當爲民法則；子之質聰達，於事當爲人表式；儀貌壯麗，不可不自修整。衣錦絅裳，飾在輿馬，是不貴德也。」乃作詩曰……砥厲女之心以高節，以爲人君之子弟爲國君之夫人。尤不可有邪僻之行焉。女遂感而自修。君子善傅母之防未然也。

其說或疑與《詩序》大異，蓋謂《碩人》之詩出於女傅激勵莊姜之辭。然細校之，初與《左傳》及《詩序》所言作詩之動機無甚相悖，所不同者，《左》言衞人，《序》言國人，而《列女傳》言女傅云爾。

又此《詩》言衞莊姜容貌之美曁服飾之盛之文，後世多有發揮並引申其說者。如子夏問「巧笑」二句，孔子告之曰「繪事後素」。子夏更推之以爲禮後之說。蓋素是絲布，喻忠信之質；白指顏色，是紛飾之文。「夫鉛黛所以飾容，而盼倩生淑姿。」（註一）喻人須先有忠信之質，後有禮義之文；苟非其人，禮不虛行。其義實長，故孔子盛說其能繼己，令之振奮，可與言《詩》也。至「衣錦褧衣」句，《中庸》舉之，則曰：「衣錦尚絅，惡其文之著」。推以爲愼獨之學者。又以此勉人宜在獨知獨處處做功夫，不必露材揚己，但反躬修省。在此自率自明沈潛剛克之中，久而久之，其於內心隱微處，自能生其知自明之境，無聲無臭，而上達於天者矣！此又見治《詩》者之不能滯於文字表象，必也悟之，方爲有得者也。

【附註】

註一　《文心雕龍・情采篇》。

第四章 《王 風》

一、《兔爰》之閔周鄭交惡說

按《兔爰・序》云：

閔周也。桓王失信，諸侯背叛，構怨連禍，王師傷敗，君子不樂其生焉。

此信桓王失信於諸侯，諸侯背叛，乃興師出伐（楊伯峻曰：「春秋一代，天子親征，只此一役。（註一）」）。王師傷敗，天子威信盡失，君子之人，傷痛不已，皆不樂其生也。《左傳》隱公三年曰：

鄭武公、莊公為平王卿士。王貳于虢。鄭伯怨王。王曰：「無之。」故周、鄭交質。王子狐為質於鄭，鄭公子忽為質於周。王崩，周人將畀虢公政。四月，鄭祭仲帥師取溫之麥。秋，又取成周之禾。周、鄭交惡。君子曰：「信不由中，質無益也。明恕而行，要之以禮，雖無有質，誰能間之？苟有明信，澗、溪、沼、沚之毛，蘋、蘩、蘊藻之菜，筐、筥、錡、釜之器，潢、汙、行潦之水，可薦於鬼神，可羞於王公，而況君子結二國之信，行之以禮，又焉用質？《風》有《采蘩》、《采蘋》，《雅》有《行葦》、《泂酌》，昭忠信也。」

此言桓王失信之事也。今按鄭與周室本有厲，宣之親，以鄭桓公為厲王幼子，宣王母弟故，食采於周畿內咸林之地，且為幽王大司徒之官。司徒之官者，職掌十二教（註二），所以成德也，甚得周衆與東土河洛之人心。

西周末，王室多故，濟洛河潁之間，虢叔恃勢，鄶仲恃險，皆有驕侈怠慢，貪冒背君之心，百姓不附。於是桓公遽寄帑之謀；繼以成周之師，奉辭伐罪，首亂周朝之疆索。繼子武公，又通乎鄶公夫人而取其國。（註三）狡黠卑汚，而鄭人由是得以自固焉，此其立國之大較也。《韓非子》記桓公取鄶事云：

鄭桓公將欲襲鄶，先問鄶之豪傑良臣辯智果敢之士，盡與其姓名，擇鄶之良田賂之，為官爵之名而書之，因為設壇場郭門之外而埋之，釁之以鷄豭，若盟狀。鄶君以為內難也而盡殺其良臣，桓公襲鄶，遂取之（註四）

又《說難篇》記武公伐胡事云（註四）：

昔者鄭武公欲伐胡，故先以其女妻胡君以娛其意。因問於群臣：「吾欲用兵，誰可伐者？」大夫關其思對曰：「胡可伐。」武公怒而戮之，曰：「胡，兄弟之國也，子言伐之何也？」胡君聞之，以鄭爲親己，遂不備鄭，鄭人襲胡，取之。

此皆狙詐陰毒法家之先，何異日莊公梟雄所由本也。幽王即位三年，爲犬戎所殺，桓公與之殉難，有死社稷之義，國人推之，立其子掘突，是爲武公；與晉文侯共定平王於東都王城。自桓公先取虢，鄶之後，鄭人繼續經略毗鄰十邑：右洛左濟，前華後河，並食溱洧焉，其地即今河南新鄭是也。考其地望，西有虎牢之險，北有延津之固，南據汝南之地，當中國要衝，四通八達。縮轂南北軍事形勢與商業交通之樞紐。當中虎牢城皋，尤爲兵家必爭之地，南北有事，鄭先被兵，地勢然也。王應麟曰：

齊晉楚之霸，皆先服鄭。范雎李斯之謀，皆先攻韓。蓋虎牢之險，天下之樞也。（註五）

鄭人本此地利條件，積極進行發展商業。前者弦高使商，遽揭秦師之陰謀（註六），後者玉在鄭商拒絕趙宣之求合（註七）。足見商人地位之高。又《傳》載子產言鄭國商人與政府以盟誓相結合，共同創建國家之辭曰：

昔我先君桓公與商人皆出自周，庸次比耦以艾殺此地，斬之蓬蒿藜藋，而共處之；世有盟誓以相信也。曰：「爾無我叛，我無強賈，毋或奪。爾有利市寶賄，我勿與知。」

恃此質誓，故能相保以至于今。

此見鄭人對商賈之禮重，故賈人亦報之以厚利，成爲東周初期新興富強之國。其時齊桓未霸，晉室方亂，荊楚僻處南服，對鄭均未能構成任何威脅。加諸桓公早爲卿士，武公又復子承父業，堪稱得厚；其後更助天子東遷有功，地位尤覺尊崇，《詩》（《鄭風．緇衣篇》）言國人願爲之緇衣，授之以粲。正睹時人對其父子感戴盛美之情。上述種種，皆爲鄭莊公得以成就小霸之業之重要因素也。

與此相對者，周室自平王東遷以後，王權日益下移。諸如王畿日少（僅剩洛邑一帶之地），兵力不足（由以往之六軍減爲三軍、二軍，甚至一軍），經濟拮据（隱三年「求賻」，桓十五年「求車」）。皆見其力量削弱，對地方諸侯已逐漸失去其「共主」威權。即如平王之擁立與東遷，亦須仰賴諸侯鼻息。故柳宗元《封建論》以爲「陵夷迄於幽厲，王室東遷，而自列爲諸侯矣。」（註八）呂東萊曰：「平王欲退鄭伯而不敢退，欲進虢公而不敢進。選懦暗弱，反爲虛言以欺其臣，固已失天子之體矣！」（註九）按虢公於隱公八年始作卿士於周，爲右卿士。在此之前雖與鄭莊同仕王朝，大權實操於鄭莊之手，故能「挾天子」又「挾諸侯」（齊僖當時爲名義上之伯主，然實無能）以逞其志。四月，祭仲帥師取溫之麥。秋，又取成周之禾。周鄭交惡，於是始矣。

桓五年，《春秋經》曰：

秋，蔡人、衞人、陳人從王伐鄭。

《左氏傳》曰：

王奪鄭伯政，鄭伯不朝。秋，王以諸侯伐鄭，鄭伯禦之。王爲中軍；虢公林父將右軍，蔡人、衞人屬焉；周公黑肩將左軍，陳人屬焉。鄭子元請爲左拒，以當蔡人、衞人；爲右拒，以當陳人，曰：「陳亂，民莫有鬥心。若先犯之，必奔。王卒顧之，必亂。蔡、衞不枝，固將先奔。既而萃於王卒，可以集事。」從之。曼伯爲右拒，祭仲足爲左拒，原繁、高渠彌以中軍奉公，爲魚麗之陳。先偏後伍，伍承彌縫。戰于繻葛。命二拒曰：「旝動而鼓！」蔡、衞、陳皆奔，王卒亂，鄭師合以攻之，王卒大敗。祝聃射中王肩，王亦能軍。祝聃請從之。公曰：「君子不欲多上人，況敢陵天子乎？苟自救也，社稷無隕，多矣。」夜，鄭伯使祭足勞王，且問左右。

《序》言「王師傷敗」，蓋指「繻葛之戰」。中國諸侯之不臣，前此未若如是之甚者。其年夏。齊侯，鄭伯朝于紀，欲以襲之。夫紀，小國耳，聯袂來朝，居心可知。鄭莊野心，盡人皆知。爲保安寧，王奪鄭伯政。鄭伯不朝。王以蔡人、衞人、陳人伐鄭。鄭莊禦之。大敗五國聯軍。知《序》之所謂「傷敗」者，即指此段「祝聃射中王肩」之事，其爲辱不幾於弑天子乎！《詩》人所以憂傷，至謂「逢此百罹」，「百憂」，「百凶」，蓋彝倫攸斁，人道幾息，至於「不樂其生」，良有以也。盱衡鄭莊當時之力量，加之齊、魯二國之合盟，在當時誠爲一股具相當勢力之政治、經濟、軍事之結合。左右局勢之發展不可謂不鉅。故爾雖合四國之力，更兼後來桓王之師，均不能有以稍挫鄭莊之氣燄，而一任其連兵自恣，馳騁縱橫也。《詩》言「有兎爰之，雉離于羅。」正謂兎爰之狡詰，不罹網罟；鴻雉耿介，反以得禍。有似鄭莊之狙詐雄奸，周朝之綱維法紀，竟莫奈之何也！夷考鄭莊在位之二十二年間，先後伐衞、入郕、滅許、退戎；一年之中，報衞報宋，又敗燕師（註一〇），幾無敵於天下。其勢力由是如日中天，無君之心亦因茲漸露。初則「交惡」，繼而「交質」。至「繻葛之敗」，射中王肩。敗王師、敗蔡、衞、陳，魯而極盛矣！統觀《王風》十篇，皆爲刺平、桓、莊三王之事，鄭《箋》且謂《采葛》《大車》皆屬桓王（註十一），孔子編《詩》，所以以《王》爲《風》，不得與於《二南》、《雅》，其旨深矣。

論者或以《傳》言「周鄭交質」「周鄭交惡」。又云「結二國之信」，明將天子與諸侯並列，名分有乖。與孔子尊周室，稱周王之思想不合。夫聖人反對以臣召君，書曰：「天子狩于河陽」。而此處何以獨無親上之意耶？王應麟《困學紀聞》卷六引呂成公《左氏續說》，以此爲《左氏》三病之一。而彼又以「王貳于虢」爲失君臣之義云。（註一二）今按錢大昕

《潛研堂文集・答問》云：

凡交質之失，二國共之，君子非專爲周鄭言之也。古者封建之世，王畿千里爲天子之國。自畿以外爲列國，天子不治之。王國與侯國皆國也。天子有道，而天下諸侯朝之，謂之有天下，否則位號僅存。所有者，唯王國而已。平王東遷以後，周僅有其國，不得云有天下。而《左氏》以周鄭爲二國，亦紀其實耳！對鄭而言，故不言王而言周。

其說亦辨，總無悖於「王降爲風」之旨云。

【附註】

註一　楊伯峻《春秋左傳注》・册一・第二十七葉。中華書局・一九八一年三月版。

註二　《周禮・大司徒職》云：「因民常而施十有二教焉：一曰以祀禮教敬，則民不苟（苟且）；二曰以陽禮（謂鄉射，鄉飲酒等禮）教讓（謂謙讓），則民不爭（爭鬥）；三曰以陰禮教親，則民不怨（謂怨曠。男女婚姻以時，則無怨女曠夫）；四曰以樂教和（和睦），則民不乖（乖戾）；五曰以儀（法度）辨等，則民不越（凌越）；六曰以俗（地方風俗）教安，則民不愉（讀作偷，薄也，惰也）；七曰以刑教中（中正），則民不暴；八曰以誓（謂戒敕，父南面，子北面。父坐子伏之屬）教恤（憂恤。謂恤寡憐貧），則民不怠；九曰以度（謂宮室衣服之制）教節，則民知足（謂進退，爲與不爲，皆得其所也）；十曰以世事（士農工商之事）教能，則民不失職；十有一曰以賢制爵（謂視其才德之高下，以定其爵位之尊卑也），則民愼德（相勸爲善）；十有二日以庸（謂功之多寡）制祿（謂報酬，猶《中庸》所謂「日省月試，餼稟稱事」之意），則民興功（謂興立功效，自求多福也）。

註三　《公羊傳》桓公十一年：「古者鄭國處於留，先鄭伯有善於檜公者，通乎夫人，以取其國而遷鄭焉。」

註四　陳奇猷《韓非子集釋》卷十．《內儲說下》．第六零七葉．上海人民出版社．一九七四年七月版。

註五　《翁注困學紀聞》卷六．《左氏》．「齊晉楚霸先服鄭」條．中華書局．民國五十九年六月臺二版。

註六　《左傳》僖公三十三年：「及滑，鄭商人弦高將市於周，遇之，以乘韋先，牛十二犒師，曰：「寡君聞吾子將步師出於敝邑，敢犒從者。不腆敝邑，爲從者之淹，居則具一日之積，行則備一夕之衞。」且使遽告於鄭。」

註七　《左傳》昭公十六年：「宣子有環，其一在鄭商。宣子謁諸鄭伯，子產弗與，曰：「非官府之守器也，寡君不知。」子太叔，子羽謂子產曰：「韓子亦無幾求晉國亦未可以貳。晉國，韓子不可偸也。若屬有讒人交鬥其間，鬼神而助之，以興其凶惡，悔之何及？吾子何愛於一環，其以取憎於大國也？盍求而與之？」子產曰：「吾非偸晉而有二心，將終事之，是以弗與，忠信故也。僑聞君子非無賄之難，立而無令名之患。僑聞爲國非不能事大小之難，無禮以定其位之難。夫大國之人令小於小國，而皆獲其求，將何以給之？一共一否，爲罪滋大。大國之求，無禮以斥之，何饜之有？吾且爲鄙邑，則失位矣。若韓子奉命以使，而求玉焉，貪淫甚矣，獨非罪乎？出一玉以起二罪，吾又失位，韓子成貪，將焉用之？且吾以玉賈罪，不亦銳乎？韓子買諸賈人，既成賈矣。商人曰：「必告君大夫！」韓子請諸子產曰：「日起請夫環，執政弗義，弗敢復也。今買諸商人，商人曰『必以聞』，敢以請。」

註　八　《柳河東集》上・卷三・第四十五葉・上海人民出版社・一九七四年五月版。

註　九　《東萊博議》卷一・「周鄭交惡」條・香港廣智書局。

註一〇　伐衞在隱元年及二年。敗燕師在隱五年。滅許報宋俱在隱十一年。入郕在桓四年。退戎在桓六年。

註一一　《王風譜》孔穎達《疏》謂平、桓以後，政教不畿外，故爲《風》也。

註一二　同上註五。「《左氏》三病十一事疑」條。

第五章 《鄭 風》

一、《將仲子》《叔于田》《大叔于田》三《詩》之刺鄭莊公說

按《將仲子・序》云：

刺莊公也。不勝其母，以害其弟，弟叔失道，而公弗制，祭仲諫而公弗聽，小不忍以致大亂焉。

又《叔于田・序》云：

刺莊公也。叔處于京，繕甲治兵，以出于田，國人說而歸之。

又《太叔于田・序》云：

刺莊公也。叔多才而好勇，不義而得衆也。

是三《詩》，均刺鄭莊公。以其不勝其母，令弟叔段處於大都，繕甲治兵《左傳》隱公元年載此事云：

初，鄭武公娶于申，曰武姜，生莊公及共叔段。莊公寤生，驚姜氏，故名曰寤生，遂惡之。愛共叔段，欲立之。亟請於武公，公弗許。及莊公即位，爲之請制。公曰：「制，巖邑也，虢叔死焉。佗邑唯命。」請京，使居之，謂之京城大叔。祭仲曰：「都，城過百雉，國之害也。先王之制：大都，不過參國之一；中，五之一；小，九之一。今京不度，非制也，君將不堪。」公曰：「姜氏欲之，焉辟害？」對曰：「姜氏何厭之有？不如早爲之所，無使滋蔓！蔓，難圖也。蔓草猶不可除，況君之寵弟乎？」公曰：「多行不義，必自斃，子姑待之。」既而大叔命西鄙、北鄙貳於己。公子呂曰：「國不堪貳，君將若之何？欲與大叔，臣請事之；若弗與，則請除之，無生民心。」公曰：「無庸，將自及。」大叔又收貳以爲己邑，至於廩延。子封曰：「可矣。厚將得衆。」公曰：「不義，不暱。厚將崩。」大叔完聚，繕甲兵，具卒乘，將襲鄭，夫人將啓之。公聞其期，曰：「可矣。」命子封帥車二百乘以伐京。京叛大叔段。段入於鄢。公伐諸鄢。五月辛丑，大叔出奔共。書曰：「鄭伯克段于鄢。」段不弟，故不言弟；如二君，故曰克；稱鄭伯，譏失教也：謂之鄭志。不言出奔，難之也。遂寘姜氏于城潁，而誓之曰：「不及黃泉，無相見也！」既而悔之。

按莊公之制行最爲人所詈議詬病者，莫過於克段於鄢，與寘母於隧兩事。夫黃泉之誓，人道絕矣！怨其弟而及其親，此在聖人名教之下，罪不容卸，其爲後世所非議者，亦理所當然。至謂養就段惡，處心積慮成於殺非教，如《穀梁》所云，恐未盡然也。

今按隱公元年《經》曰：「夏五月，鄭伯克段于鄢。」《公》《穀》皆訓「克」爲殺。《公羊傳》曰：「克者何？殺之也。」《穀梁傳》曰：「克者何？能也。何能也？能殺也。」獨《左氏傳》曰：「書曰『鄭伯克段于鄢。』段不弟，故不言弟；如二君，故曰克；稱鄭伯，譏失教也。謂之鄭志。不言出奔，難之也。」《左氏》「不言弟」，蓋剔除其倫理關係言。「如二君」，比之兩君相鬥如敵國，莊公勝之，故爾曰克。克之與殺，其義迥別。若《公》《穀》之言爲可信，莊公果眞殺之而甘心，兄弟之情從此斷絕。然考之史實，知其不然者，十年之後，莊公猶且倦念叔弟之在他邑，曰：「寡人有弟，不能和協，而使餬其口於四方。」（見隱公十一年）依《說文》，「餬，寄食也。」餬口於四方，猶言寄食於四方。莊公有弟，同室操戈，以致四方遊走，唯是叔段耳。此事從莊公之口親自道出，最能見《傳》義之有生路可尋，親親之義終未曾絕，則《公》《穀》乃至後來宋儒之誇大其惡，必謂有意養成弟惡，陷之以死而後安之說者，不亦不攻而自破乎！

再考之《鄭風・將仲子詩・敍》曰：「莊公不勝其母，以害其弟，小不忍以致大亂。」意謂叔段恃母之寵愛，恣其驕橫，日惟飲食搏獸，射御足力，以此爲能；且有攘奪之心。莊公不能「誠敬以感悟母氏，涕泣以訓誨其子，俾之率德改行，而復任爲大夫，其處段固未甚害義也。」（註一）且春秋初年，列侯子弟之僭移王室者多矣！段之得禍，豈亦時勢誘之然乎！莊公不能見幾而作，一味隱含不露，令段所以昧於權利，越次妄作，卒至於自受其斃，過矣！斯《傳》所謂譏失教是也。陳啓源《毛詩稽古篇》引嚴緝之言曰：「《將仲子》首《敍》必經聖人之筆，故意與《左氏》合，良不謬矣。」是也。而世之論者（如呂氏東萊等），正謂此乃莊公姑與之術巧，使人覺其全處於被動之勢，感其不殺之恩，直使天下後世之人，皆墮其積謀而克之計中云云。宋人論古之苛大抵如此，不足信也。

今觀叔段者，不外一好獵飲酒，馳馬暴虎之公子耳！莊公之雄奸，乃十倍之而有餘，凡叔段之所爲，皆不足以對其構成何種威脅。觀其請京收貳，繕甲具卒，籌劃多時，且有母氏爲之內應。然鄭師一出，京人皆叛，未幾而克平大憝，宗祧無恙。是莊公之克段也，如摧枯拉朽焉。其強弱懸殊，不待深辨而自明矣！是叔段與於滋蔓貳厚之後且如此，況莊公眞早爲之所乎！

緣叔段之不善，莊公必無坐視不顧之理，此依常理可推得而知，特其未肯受善耳！孔子有言：「忠告而善道之，不可則止，毋自辱焉。」（《論語．顏淵篇》）夫朋友數，情亦見疏，兄弟亦屬如此。吾人生於千百世之下，又安知彼二人之反目非因莊公之數諫所至然乎？

且當日莊公答祭仲之諫，謂之「畏父母」「畏兄弟」「畏人多言」。《詩》更言祭仲諫之彌固，莊公拒之彌堅，則其畏母躬弟之情可想而見。《大叔于田詩》又言叔好「襢裼暴虎」，公又勸之「將子無狃，恐其傷女。」眷戀之情溢於言表，不能謂之坐視不顧也。若其眞有意加害，大可從旁慫擁鼓勵，使其多作以令之死於虎口，則殺之者虎，死之者惟叔段本人耳，何有於鄭莊哉！是《詩》《傳》之言爲合理可信。此莊公之不殺段者一也。且莊公其時正致力於發展國內之政治經濟，與對外之友好關係，以期建立一強大鄭國，滿足其雄材大略之野心。必須維持一安定團結之局面，方能可望有成。故此時雖如叔段之跋扈囂張，亦不能不爲顧全大局，息事寧人。此又莊公之不能殺段者二也。

及至稱兵襲國，顯然叛逆，在此事之情理上言之，乃關係於鄭國之統一，乃至其個人政治權勢之鞏固問題。蓋莊公初封叔段於京，多才好勇而得衆，國人歸之，「如二君」焉；國家即陷分裂之局，有爲者豈能坐視哉！故無論在公在私，克段之舉，有如弓在弦上，不得不發。克段之後，鄭國復合，自此步入富強之境，此見由分裂而統一之後效也。是則於時殺段，正似周公之誅管蔡，天下無敢非議者。然事實卻不盡然。既發之後，尚不斃之，但緩追逸賊（《公羊傳語》），任其奔共，鄭人所稱共叔段是也。未嘗窮追極討，如齊桓之殺兄（子糾），楚平之弑王（靈王及子比）。其於親親之道正合，是先儒之所謂養而殺之，甚至如呂東萊論莊公視同氣如寇仇，設詞以欺天下後世，毋亦泥於《左傳》，而誅心過苛者歟！

尤有再者，莊公十六年，叔段之孫公父定叔與於雍糾之亂，出奔衞。其後鄭莊雖兩度伐衞，主要在於向諸侯顯示其軍力耳，實未殺滑也。毛奇齡《春秋傳》說此事，謂鄭伯此時何難滅共而殺叔，然後乘衞服之而取滑殪之，並殲其子姓之在鄭國者，以絕其根株，乃一則舍共，再則舍滑；十六年之後猶復招叔段之孫而歸之。于親親之誼亦既已至且盡矣。是也。（註二）事隔三年，公招而復歸之，曰：「不可使共叔無後於鄭。」夫叔段不知勸，定叔不知戒。公並恤之，其於逆子逆孫，不殺不絕，前後一轍，人倫之道亦厚矣！善乎顧復初之言曰：

夫讀《春秋》者，貴合數十年之事，以徐考其時勢；不當就一句內，執文法以求褒貶；宜合天下而統觀大勢。不當就一國內拘《傳》事以斷其是非。（註三）

善讀書者，貴得其精理名言，知所變通，方為有得。吾人論莊公之得失，何獨不然。況乎士有百行，可以功過相除；執一以斷其是非，管窺之見耳！君子不可因人廢言者也。是故「周公有殺弟之累，齊桓有爭國之名，然而周公以義補缺，桓公以功滅醜，而皆為賢。今以人之小過揜其大美，則天下無聖王賢相矣。」（《淮南子．氾論訓》）惟《傳》與《序》之所言，乃客觀之事實，拙文之議論者，蓋為一已見偏之私。究鄭莊之出於有意無意，抑個人所述乃適與事實相反，要亦讀書有感，就其才性之所近而予以節取焉，非敢自詡創獲，故與《詩序》相違者也。

據上所論，皆見鄭莊乃不夫爲一雄材大略，梟雄絕人之英主，其一生之所爲，均不離於富國強兵，侵伐謀略之上。故能於春秋初年，率先稱伯，與齊魯共執牛耳；但惜好景不長，鄭莊一死，其子忽突爭立，雖終歸厲，馴至元氣大傷。其時南楚亦興，齊晉爭霸。鄭國從此多難，凡鄭莊一生之所爲，皆無一可補於其民百姓免於日後兵侵賦役之苦者，何哉？使其安守臣子之份，戮力王室，雖齊桓晉文之業，未可知也，一死而同室操戈，豈非貽謀不臧耶？

二、《清人》之刺文公說

按《清人・序》云：

刺文公也。高克好利而不顧其君，文公惡而欲遠之，不能。使高克將兵而禦狄于竟。陳其師旅，翺翔河上，久而不召。衆散而歸，高克奔陳。公子素惡高克，進之不以禮，文公退之不以道，危國亡師之本，故作是《詩》也。

鄭玄《注》：

好利不顧其君，注心於利也。禦狄于竟，時狄侵衞。

按此《詩》刺兼君臣，文公、高克俱有罪也。《春秋》閔公二年：

十有二月，狄入衞，鄭棄其師。

《左氏傳》曰：

鄭人惡高克，使帥師次于河上，久而弗召，師潰而歸，高克奔陳。鄭人為之賦《清人》。

劉文淇《春秋左氏傳舊注疏證》（註四）：

鄭人，即公子素也。《古今人表》有公子素與鄭文公，高克列上下。杜《注》用《序》說。

馬瑞辰《毛詩傳箋通釋》（註五）云：

按《左傳》，「鄭人為之賦《清人》。」據此《序》，知所謂「鄭人」，即公子素也。《漢書古今人表》有公孫素與鄭高克，同列第七等，班固所見《詩序》，蓋作公孫素也。士與素一聲之轉。焦循謂公子素即僖二十年帥師入滑之公子士。

據《序》言高克好利，《箋》曰好利不顧君，疑君與臣爭利，為其相惡之由。文公本欲去之，特君弱臣強，無法以理廢退。適值有狄侵衞，鄭恐其渡河南侵，於是遂付以兵事，使將兵以禦之。其後狄人雖去，文公久久未見召歸高克，使其罷兵還國。高克閑暇無為，於是陳其師旅，終日翺翔逍遙乎河上，「左旋右抽」，以爲一軍之容好。終至於師潰衆散，克亦奔陳。嗟乎！「后非衆，無與守邦」（《尚書・大禹謨》文），何文公之輕去其民如是之甚者也。夫文公之所惡者，高克一人耳！今其以禦狄爲名而出高克，遂幷舉一國之衆，置諸度外死生存亡而不顧者，《毛詩正義》所云「高克若擁兵作亂，則是危國。若將衆出奔，則是亡師。公子素謂文公爲此乃是危國亡師之本。」是也。

似類之事者，《左傳》襄公八年傳曰：

齊侯使連稱、管至父戍葵丘，瓜時而往，曰：「及瓜而代。」期戍，公問不至。請代，弗許。故謀作亂。

劉文淇《左傳舊注疏證》引《尉繚子》曰：

兵戍過一歲，遂亡，不候代者，法比亡軍。（註六）

由連稱之所爲，《正義》之所謂危國者也。由高克之所爲，《正義》所謂亡師者也。皆緣於背信棄義，與輕去其民之過。故《說苑・君道篇》曰：「夫爲人君，行其私欲而不顧其人，是不承天意，忘其位之所宜事也。如此者，《春秋》不予能君，而夷狄之鄭伯，惡一人而兼其師，故有夷狄不君之辭。」劉氏之說，足補《三傳》釋《經》文之所未備（不言鄭伯棄其師），尤得《詩》人刺文公之旨。

三、《有女同車》《山有扶蘇》《蘀兮》《狡童》《揚之水》五《詩》之刺忽不婚大國說

按《有女同車・序》云：

刺忽也。鄭人刺之不婚于齊。大子忽嘗有功于齊，齊人請妻之，齊女賢而不取，卒以無大國之助至於見逐，故國人刺之。

此《詩》因鄭忽之不婚于齊而遭刺者甚明，而末云「卒以無大國之助至見逐，故國人刺之」云者，疑爲既奔之後，國人追怨之詞也。吾人在進入探究此六《詩》之先，必須省察鄭人國勢發展之由盛而轉衰一層，否則鄭忽之何以需要求援？權臣之所以放恣便無由說起。就前文五章一節中對鄭莊公功業之所論，已見鄭國本由一中原新興同姓小國，桓、武兩代相繼爲周司徒，善於其職。故在鄭莊有生之年，其國足以左右中原。在其蔭庇下之太子忽，何曾有所謂履霜知冰之憂！是以一再拒婚於齊，謂之「非耦」、謂之「師婚」。振振有辭，未曾料及其禍將生於蕭牆也。及至鄭莊一逝，公子突以宋人所出有鄰國爲奧援，宋人執祭仲而有出忽立突之事（用《公羊》義），祭仲初非營私，乃以存國。於忽突之再出再入，置君如弈

棋。明乎此一事實關係，然後再行了解《詩序》之所謂「刺」，《左傳》之所謂「善」、「知」、「專」諸義，或更能體會詩人憂危忠愛之思，與及丘明不足於鄭忽之情，而《詩序》益可信。

關於鄭忽有功於齊，及齊僖請妻，其事見於《左傳》桓公六年，云：

> 北戎伐齊，齊使乞師于鄭。鄭大子忽帥師救齊。六月，大敗戎師。公之未昏於齊也，齊侯欲以文姜妻鄭大子忽。大子忽辭。人問其故。大子曰：「人各有耦，齊大，非吾耦也。《詩》云：『自求多福。』在我而已，大國何爲？」君子曰：「善自爲謀。」及其敗戎師也，齊侯又請妻之。固辭。人問其故。大子曰：「無事於齊，吾猶不敢。今以君命奔齊之急，而受室以歸，是以師昏也。民其謂我何？」遂辭諸鄭伯。

忽之辭婚有二：一在其「無事於齊」之先，一在其「奔齊急」之後。《史記》《齊・鄭世家》皆以忽初辭婚置於敗戎之時，鄭玄答張逸問亦以一時之事了之（註七），說恐未諦。《春秋》桓三年：「夫人至自齊。」此文姜也。齊僖「欲以文姜妻鄭大子忽」，事在魯桓婚齊之先；及至鄭忽敗戎，齊侯再請，下距文姜歸魯已四年矣！則此女之非文姜甚明，故劉文淇《舊注疏證》謂張逸康成皆誤認前後妻爲文姜一人也。皮錫瑞曰：

> 案此《序》言忽有功於齊，齊侯請妻之，則請妻在有功之後。齊女賢而忽不娶，其文

又在其下，明是在後妻者也。安得以爲文姜乎？又桓十一年《左氏傳》曰：「鄭昭公之敗北戎也，齊人將妻之，昭公辭。祭仲曰：『必取之，君多內寵，子無大援，將不立。』弗從。夏，鄭莊公卒。秋，昭公出奔衞。」《傳》亦以出奔之年追說不娶於齊，與《詩》刺其意同也。（註八）

此見鄭君答張逸問之未善也。姑無論如何，忽之一再拒婚，要爲一誤再誤。試從公私兩點論述如後。以國家利益言，古以婚姻聯盟，作爲其政治、軍事與及團結異姓諸力量之擴充手段。晉獻公之嫁伯姬於秦（《左傳》僖公五年）、楚靈王之娶於鄭（《左傳》昭公元年），皆各有其用心。倘齊，鄭二國聯系發展，友好合作，共榮共存，對彼此雙方都有好處。《禮・祭統》所謂「外求助，婚禮是也。」此最能見婚姻聯盟之施於政治之效驗也。春秋初期，侯國鼎立，宋衞陳蔡，是一由北而南之縱線結合；鄭齊魯，則是自西而東之橫線結合。此見鄭齊間關係之密邇，而二國之中，又以鄭莊爲翹楚。忽既有恩於齊，則他日繼位，齊人必予支持，足以杜絕日後鄭突恃宋竊國之患。而齊、鄭聯盟，異日齊桓尊周攘夷於東方諸侯集團國更易爲力，更無待深辨而自明，是鄭忽之拒婚，其誤一也。

再就鄭忽自身之處境而言，清儒毛奇齡論之云：

據祭仲立忽，原非正嫡，鄧曼爲荊南蠻族，因祭仲而始娶之，其得以所生名世子者，徒以長爾。若突則尹姞所生，本屬貴族，其初或未嘗無寵，而旣以宋鄭積怨之故，遜居在宋。其於正次之分，不必顯著。故忽雖已稱世子，而實未嘗受于天王，如《周禮》所稱受誓者。（註九）

《史記・鄭世家・集解》引服虔之言曰：「鄭莊多庶子，有寵者多。」權臣與群公子之間不斷鬥爭角逐。從毛西河之剖析，此正見鄭忽之勢孤力微，在繼嗣之問題上，並非能取得絕對之優勢。故於鄭忽辭婚之日，祭仲已質言之曰：「必取之，君多內寵，子無大援，將不立，三公子皆君也。」其言所以不入者，殆由鄭忽於隱八年早已婚姻於陳，娶有正妻，對婚姻之需求並不如此急切。又自恃屢經行陣，有功於齊，以爲聲譽日隆，勢位可保。加以父業蔭庇，得霸者之餘尊，驕蹇怠傲，何嘗有安而不忘危之思，於是一意孤行，遂毅然拒絕齊人之眷愛，捨大國之援，其誤二也。

總此二事而論之，忽之敗，在於執小信而忘大義。然詩人猶惋之憐之，以其爲國君之故也。然則《序》之所謂刺者，實愛之深惜之切之詞耳！至桓六年《傳》「君子曰：善自爲謀」者，杜預《注》云：「言獨絜其身，謀不及國。」是也。此蓋譏鄭忽只顧個人利益，不能保國圖存也。章太炎先生釋善爲繕，謂好枝格抵抗人語，剛執愎戾。君子探其不欲婚齊之意，而責其坐失大援，故以爲刺，於訓詁足備一說（註一〇）

緣鄭忽之拒婚，齊女之荒淫失德（詳下），或亦望而卻步之所由，非偶師婚或設詞自解。孔穎達《毛詩正義・有女同車疏》引《鄭志》張逸問曰：

此《序》云齊女賢，《經》云德音不忘，文姜內淫，適人殺夫，幾亡魯國。故齊有《雄狐》之刺，魯有《敝笱》之賦，何德音之有乎？答曰：「當時佳耳，後乃有過，或者早嫁不至於此。」

又清儒方東潤曰：

刺忽以昏於齊者，從事後論之也。諷忽以宜昏於齊者，事前勸之也。事後論忽，固是勢孤援弱，以至失國，似不昏於齊者，爲忽失計。迨後文姜淫亂，幾覆魯國，則不昏於齊者，又未嘗不爲忽幸。（註一一）

據上引二書之言，則知鄭忽拒婚，眞是利害恆參半，進退維谷者。雖鄭君云之「或者早嫁不至於此」者，此亦以意爲之，不若鄭忽之知之深也。然若肯定謂忽不幸而昏於齊，則謂日後彭生之禍不在魯而在鄭者，愚意又以爲不然也。齊襄之淫佚不制於魯，或未敢放恣於鄭。夫齊之弱魯，最爲過甚。春秋初期，天下所賴者唯齊。齊桓既歿，魯之患亦唯齊，其子孫日夕以攻魯爲事。宣公元年，齊人取濟西田。頃公時，乘晉之敗（宣公十三年，邲之戰後次年），伐莒。成十三年，伐魯北鄙。八年，再取魯濟西田，以迄於魯定公十年，夾谷之會，始由孔子正式取回。即以文姜與兄齊襄私通，致殺桓公事言，魯人且猶忍氣吞聲，僅請以一彭生除之爲滅恥塞責。其子莊公，且猶靦然主王姬之昏。同齊伐衞，其委曲求全亦可見矣！

齊之於鄭則不然，雖兩度妻女見辭，而齊之德忽如故。忽之生也，則扞之衞之，十三年四國之戰是也。死復報之，十八年齊帥師討鄭，殺子亹而轘高渠彌。彼拒婚於齊且猶若是，況已婚乎哉！且鄭之積弱，弱於忽，突之鬩牆，致傷元氣，爲祭仲有機可乘耳！然鄭於春秋之末，及戰國初期，始終仍爲強國；繼鄭莊之後，宣二年大敗宋師，囚其主帥華元。成三年敗諸侯師於丘輿。成七年囚鄖公鍾儀。成十五年取楚新石，次年，楚以汝陰之田求成。襄二十五年伐陳。其用兵之數相當於城濮之戰晉軍之數。定六年滅許，且助王子朝伐周邑。哀二年，鐵之戰，衞太子畏鄭，自投車下。皆見鄭人之力量不容輕視。是忽之患爲起於內而非外，使其當時能放棄成見，犧牲其個人利益，成就國家利益，又奚至於此耶！是故國人目擊心傷，爲之焦急嗟歎。縱鄭忽實非同車，猶渴望其與之同車。齊女未必實賢實長，依然想望其「顏如舜華」，「洵美且都」，「德音不忘」。《詩》人之幻想遠出於客觀現實之上。《三百篇》除聖賢經教外，又富於文學創作者此也。

又從《蘀兮》之序曰：「君弱臣強。」《狡童》之序曰：「權臣擅命。」《揚之水》之序曰：「君子閔忽之無忠臣良士，終以死亡。」合而觀之，則《詩》文之另一焦點，即對祭仲廢忽立突一事之討論。按《左傳》桓公十一年云：

> 夏。鄭莊公卒。初，祭封人仲足，有寵於莊公，莊公使爲卿。爲公娶鄧曼。生昭公，故祭仲立之。宋雍氏女於鄭莊公曰雍姞。生厲公。雍氏宗有寵於宋莊公，故誘祭仲而執之。曰：不立突。將死。亦執厲公而求賂焉。祭仲與宋人盟，以厲公歸而立之。

《史記·鄭世家》云：

> 鄭莊公卒。初，祭仲甚有寵於莊公，公使爲卿；公使娶鄧女，生太子忽，故祭仲立之，是爲昭公。莊公又娶宋雍氏女，生厲公突。雍氏有寵於宋。宋莊公聞祭仲之立忽，乃使人誘召祭仲而執之，曰：「不立突，將死。」亦執突以求賂焉。祭仲許宋，與宋盟。以突歸，立之。昭公忽聞祭仲以宋要立其弟突，九月，丁亥，忽出奔衞。己亥，突至鄭，立，是爲厲公。

鄭莊公死後，繼位者本該是太子忽。但太子突運用其舅權之助，藉宋人執持祭仲，強之廢忽立己，否則君死國亡。祭仲迫於無奈，於是從之。對祭仲之權變，《公羊傳》有如下之論述，云：

> 祭仲者何？鄭相也。……莊公死，已葬，祭仲將往省于留，途出於宋，宋人執之，謂之曰：「爲我出忽而立突。」祭仲不從其言，則君必死，國必亡；從其言，則君可以

生易死，國可以存易亡，少遼緩之，則突可故出，而忽可故反，是不可得則病，然後有鄭國。古人有權者，祭仲之權是也。權者何？權者反於經，然後有善者也。權之所設，舍死亡無所設。行權有道，自貶損以行權，不害人以行權。殺人以自生，亡人以自存，君子不爲也。

蘇師《公羊學中反經行權之理論與事例》一文論此事云：

祭仲如果守經的話，除了一死之外，無救於鄭亡忽死，祭仲就權衡於君與國之輕重，毅然同意而實行了。五年之後，公子突終於出奔而忽復國。雖然幾個月後，由於祭仲之死，昭公仍不能保有鄭國。《公羊》就借事明義，說明了「祭仲以全國之功，除逐君之罪。」董子在《玉林篇》說：「祭仲措其君於人所甚貴以生其君，《春秋》以爲知權而賢之。故凡人之有爲，前枉而後義者謂之中權，雖不能成，《春秋》善之。」他並且把祭仲和魯隱公攝位讓國，同樣列爲行權的榜樣。秦漢以後，君權日漸高張，廢君立君之事，儒生噤口不敢言，很難出現祭仲同樣的事例（註一二）。

由此可見《公羊傳》對於祭仲之通權達變，實在賦以極高之評價。夫聖人施教，有時而行權，惟以經教爲多耳！《論語・子罕篇》子曰：「可與立，未可與權。」行權是聖教中之至微至難，且必不得已而後偶一用之，不可以爲常，非僉人之狙詐詭遇可得而藉口也。若祭仲應殊變而偶行權，所以全國救亡，合乎反經有善，前枉後直之原則，未嘗不可。即以今日「緊急避險」之法例衡之，當於國家、本人、或他人之人身及權益面臨危險時，不得已而採取損害較輕程度及第三者之合法權益，以維護國家大衆利益，顯然合理可信。今觀祭仲犧牲鄭忽一人之利益，避免君死國亡之厄運，其行爲同樣爲正確無誤，無容置疑。讀是書者又何必強其一死，然後始見其節操之高尚哉！

然持此說以讀上述三《詩》之序，似扞格而難通；不知《詩》教主溫柔敦厚，所言者聖人之《經》。而《公羊》多非常異議之論，所言者聖人之權。學者屬辭比事，得其會通，亦《春秋》之教也。

復次，「狡童」、「狂狙」之寓意，所指究爲何人尤可商討。《毛傳》於《山有扶蘇詩》直言狡童爲昭公。《鄭箋》改之，以爲「有貌無實」之人。乃意以此形容人主，或未免如此之甚者。宋儒朱子從之，亦以「狂童，猶狂且童」，狡童者，「狡獪之小兒也。」（註七）今按，《史記・宋微子世家》載箕子《麥秀歌》云：「彼狡童兮，不與我好兮。」史公曰：「所謂狡童者，紂也。」忠臣日夜切齒腐心之情，千載如見，正與《詩》人所刺鄭忽之愚好自用，愎諫棄忠之意合。故知狡童狂且，蓋當時方言，可以目紂，亦可擬忽。古人質樸，不以爲嫌。況乎言之者無罪，聞之者足以戒。此最見三代言論之自由也。秦漢以後，君權高張，刺君之事，文人噤口不言。「田彼南山」之詩，楊惲不免腰斬（註八）、官以傳賢之奏，寬饒逼於自剄（註九）。此鄭君之所以改易毛傳，況朱子更言道學者乎！

桓十五年《春秋經》曰：

> 五月，鄭伯突出奔蔡。
>
> 鄭世子忽復歸於鄭。

《左氏傳》曰：

> 祭仲專，鄭伯患之，使其婿雍糾殺之。將享諸郊。雍姬知之，謂其母曰：「父與夫孰親？」其母曰：「人盡夫也，父一而已，胡可比也？」遂告祭仲曰：「雍氏舍其室而將享子於郊，吾惑之，以告。」祭仲殺雍糾，尸諸周氏之汪。公載以出，曰：「謀及婦人，宜其死也。」夏，厲公出奔蔡。

《史記・鄭世家》云：

> 厲公四年，祭仲專國政。厲公患之，陰使其婿雍糾欲殺祭仲。糾妻，祭仲女也，知之，謂其母曰：「父與夫孰親？」母曰：「父一而已，人盡夫也。」女乃告祭仲，祭仲反殺雍糾，戮之於市。厲公無奈祭仲何，怒糾曰：「謀及婦人，死固宜哉！」夏，厲公出居邊邑櫟。祭仲迎昭公忽，六月乙亥，復入鄭，即位。

緣昭公之未善，實與祭仲攸關。《傳》以一「專」字貶祭仲，實有深意存焉。計仲由鄭莊以迄於忽被高渠彌所刺（見桓十七年《傳》），歷任三朝元老，地位可謂尊崇。其間凡忽之前立後廢，暨突之失而後得，皆由於祭仲權詐相濟於其間。律以《公羊》之義，則社稷重而君輕。當年忽之得立，亦由祭仲，則今日取舍於忽突之間，以求存鄭。若律以《左氏》義深於君父，《傳》責之曰「專」。鄭世子忽復歸於鄭，內有祭仲擅權而弗能制，高渠彌發難又不能早為之所，則見其力之不足以君國。其於外也，恆不能復國于諸侯，是其義又未能有國也。故《序》刺之「所美非美」，「不能與賢人圖事」，以致「君弱臣強」，「權臣擅命」，徒有壯狡之志，狂簡（進取）之心而已。雖有志士仁人而無所施，忠言讜論而無所用。詩人生於其間，既不能冀君之一悟，助渠撥亂而反之正。此正與阮嗣宗「時無英雄，使豎子成名」之歎正同。其於無可奈何之中，猶有望於大國正己之助，愈發使人思其故而憂之，乃至於「不能餐」，「不能息」焉。仁人志士之發憤者，豈其憂生而已哉！然則「謂毛以狡童目昭公為悖理者，皆未達古人文義者」是也。（註一〇）至有謂狡童為祭仲者尤不倫類，嚴粲《詩緝》已力斥其非，不過嚴氏謂狡童指「忽所用之人」，其說得之於《揚之水．詩序》所云「閔忽無忠臣良士，終以死亡。」而於《左傳》無徵，而於前六《詩序》尤未合，亦無取焉。

【附註】

註　一　顧棟高《春秋大事表》四十九・《春秋人物表》《鄭莊公論》・《皇清經解續篇》・冊三・第一六九四葉・復興書局・民國六十一年版。

註　二　毛奇齡《春秋傳》・《皇清經解》本・卷一百二十二・第一三四六葉・復興書局・民國六十一年版。

註　三　同上註一・《春秋大事表》二十八・《晉楚爭盟表》・《春秋楚人、秦人、巴人滅庸論》・冊二・第一五零八葉。

註　四　劉文淇《左傳舊注疏證》第二三四葉・太平書局・一九六六年十月版。

註　五　馬瑞辰《毛詩傳箋通釋》卷八・中華書局・民國六十二年二月臺二月版。

註　六　同上註，第一四七葉。

註　七　孔穎達《毛詩正義・有女同車疏》・第四十三葉引。

註　八　皮錫瑞《鄭志疏證》・第三卷・世界書局。

註　九　毛奇齡《春秋傳》・《皇清經解》本・卷一百二十七・第一三七六葉・復興書局・民國六十一年版。

註一〇　章太炎《春秋左傳讀・桓公篇》・《章太炎全集》・第二冊・第一五三葉・上海人民出版社・一九八四年版。

註一一　方東潤《詩經原始》卷五・《有女同車篇》・第二一二葉・中華書局・一九八六年版。

註一二　蘇師文擢《邃加室講論集》・文史哲出版社・民國七十四年增訂再版。

註一三　朱子《四書集注》卷三．第三十六葉．世界書局．民國七十年十一月五版。

註一四　詳見《漢書．楊揮答孫會宗書》。

註一五　詳見《漢書．蓋寬饒傳》。

註一六　引文見胡承洪《毛詩後箋》卷八．《皇清經解》本．第五二五八葉．復興書局．民國六十一年版。

第六章　《齊　風》

一、《南山》《甫田》《盧令》《敝笱》《載驅》《猗嗟》

六《詩》之刺齊襄公淫於其妹魯桓夫人說

案桓三年《春秋經》曰：

春，正月。公會齊侯於嬴。

秋，公子翬如齊逆女。

九月，齊侯送姜氏于讙。

公會齊侯于讙。夫人姜氏至自齊。

《左氏傳》曰：

會于嬴，成昏于齊也。秋，公子翬如齊逆女，修先君之好，故曰公子。齊侯送姜氏于讙，非禮也。冬，齊仲年來聘，致夫人也。

此是齊，魯聯婚之整個過程。姜氏者，即六年《傳》「公之未昏於齊，齊侯欲以文姜妻鄭太子忽。太子忽辭」之文姜也。今按魯桓之娶，《傳》曰：「會于嬴，成昏于齊」。杜預於彼注云：「公不由媒介，自與齊侯會而成昏，非禮也。」（註一）按，《經》言「公會齊侯于讙」，《左氏》無傳，疑即親迎。杜氏以爲非禮者，蓋天子無委宗廟社稷越國逆女故也。夫文姜者，鄭忽拒之，而魯桓則汲汲求之若不及，蓋以篡弒自立，惟恐見討，故急昏于齊，以爲自保之密計者矣！至齊僖之嫁女也。《左氏傳》曰：

齊侯送姜氏于讙，非禮也。凡公女嫁于敵國，姊妹則上卿送之，以禮於先君。公子則下卿送之。於大國，雖公子，亦上卿送之。於天子，則諸卿皆行，公不自送於小國，則上大夫送之。

禮，送女，大國必命上卿，未聞親送者。此見文姜平素之得其父所疼愛。由魯桓親迎，齊僖越禮以送顯示，文姜恃寵生驕，難於駕御者亦極有可能。則知鄭忽當年拒齊以「非耦」，非無因也。故《敝笱》之《序》刺言「齊人惡魯桓公之微弱，不能防閑文姜，使至淫亂，爲二國患焉。」是其義矣。夫魯桓既仰賴於齊自安，又安得不畏乎其內而慎有家哉！此所以促成文姜之無制，一嫁而行穢二國也。

桓六年《春秋經》曰：

九月丁卯，子同生。

《左氏傳》曰：

子同生，以大子之禮舉之。公曰：是其生也，與吾同物，命之曰同。

又十八年《傳》曰：

春，公將有行，遂與姜氏如齊。申繻曰：「女有家，男有室，無相瀆也。謂之有禮。易此，必敗。」公會齊侯于濼，遂及文姜如齊。齊侯通焉。公謫之。以告。夏四月丙子，享公。使公子彭生乘公，公薨于車。魯人告于齊曰：「寡君畏君之威，不敢寧居，來修舊好。禮成而不反，無所歸咎，惡於諸侯。請以彭生除之。」齊人殺彭生。

《史記·魯周公世家》云：

十八年春，公將有行，遂與夫人如齊。申繻諫止，公不聽，遂如齊。齊襄公通桓公夫人、公怒夫人，夫人以告齊侯。夏四月丙子，齊襄公饗公，公醉，使公子彭生抱魯桓公，因命彭生摺其脅，公死于車。魯人告于齊曰：「寡君畏君之威，不敢寧居，來修好禮。禮成而不反，無所歸咎，請得彭生以除醜於諸侯。」齊人殺彭生以說魯。立太子同，是爲莊公。莊公母夫人因留齊，不敢歸魯。（亦見《齊太公世家》）（註二）

《管子・大匡篇》云：

魯桓公夫人文姜，齊女也。公將如齊，與夫人皆行。申繻諫曰：「不可，女有家，男有室，無相瀆也，謂之有禮。」公不聽。遂以文姜會齊侯於濼。文姜通於齊侯，齊桓公聞，責文姜。文姜告齊侯。齊侯怒，饗公。使公子彭生乘魯侯脅之，公薨于車。豎曼曰：「賢者死忠以振疑，百姓寓焉。智者究理而長慮，身得免焉。今彭生二於君，無盡言。而諛行以戲我君，使我君失親戚之禮命，又力成吾君之禍，以搆二國之怨，彭生其得免乎！禍理屬焉。夫君以怒遂禍，不畏惡親聞容，昏生無醜也，豈及彭生而能止之哉！魯若有誅，必以彭生爲說。」（註三）

魯桓死因，《左傳》不詳，惟《史記》及《管子》俱言其死於彭生所摺斷肋骨者，爲其致死之由，可補不足。至豎曼說齊，言雖委曲，然義正辭嚴，足以杜絕邪佞之口，此亦無可奈何之一策者耳，其奈魯桓於何哉！夫《春秋》斥男女淫佚之行，責之甚嚴；文姜內淫，不避親疏，致殺魯桓，《詩序》亦甚惡之。《南山序》刺齊襄不君，行同鳥獸，國刺以雄狐。其時中國之壤地甲兵，無如齊者。會艾定許，有主盟之志。然以「無禮義而求大功，不修德而求諸侯」（《甫田序》），可謂勞心忉忉，枉拋心力。《詩》言「無田甫田，維莠驕驕」，「維莠桀桀」，正是此意。齊僖小霸（見《國語・鄭語》），雄長東方，而其國儲並無禮義之教，但以「好田獵畢弋，不修民事」（《盧令序》），抑或「盛其車服，疾驅於通道大都，與文姜淫，播其惡於萬民焉」（《載驅序》）；其女文姜，長於深宮，未聞四德之義，以致放縱胡爲，不可收拾，豈不謬哉！

近世治史學者，或據西方人類學之說，以此爲母系社會之遺俗（註四）。然細考母系時代之婚姻形態，已由原始群之雜交亂婚而爲群婚；開始在其氏族內部之同輩男女之間互爲夫婦，進而發展爲氏族以外群婚制。氏族成員根據母氏所信仰之圖騰暨血緣關係確立親屬體系。雖謂知母而不知父，仍有其一貫之習慣與自覺性約束，嚴爲之防。較諸齊人陋俗，顯有不同是也。

大抵齊人本屬東夷而非華夏，夫夷狄之人，可妻其姑姊妹祖母而不禁，雖有太公之封而未改其陋，故其風俗不與中國同也。後世如清順治帝之與親姑結婚，此在漢人不可而在滿人可也。其次，齊地近海，富有漁鹽之利，加諸工商業發達，民生富足，以致男女飲食之事亦隨之放任大行；故言沃土之民，輕易淫佚，非無因也。觀齊桓之好內、寵幸易牙，管仲之備具三歸。以二君之賢且猶若是，況其下者乎？茲列舉三，四事，以見齊人風俗萎靡之一斑。

莊公二十年，齊大災，《公羊傳》云：

大災者何？大瘠也。大瘠者何？癘也。何以書？記災也。外災不書，此何以書？及我

也。何休云：「癘者，邪亂之氣所生。是時魯任鄭瞻，夫人如莒淫泆，齊侯亦淫，諸姑姊不嫁者七人。」（註五）

《管子・小匡篇》：

（桓）公曰，寡人有汚行，不幸而好色，而姑姊有不嫁者。（註六）

《新語・無爲篇》云：

齊桓公好婦人之色，妻姑姊妹，而國中多淫於骨肉。（註七）

《漢書・地理志》述齊地風俗云（註八）：

始，桓公兄襄公淫亂，姑姊妹不嫁，於是令國中民家長女不得嫁，名曰「巫兒」，爲家主祠，嫁者不利其家，民至今以爲俗。痛乎，道民之道，可不愼哉！

夫上有好者，下必有甚焉。齊人風俗之變，初由皇室宮廷之失德敗行，降而禍及民間，則文姜之放恣如雜婚，隨意贅夫，皆非一朝一夕之故，其所由來者漸矣。

至《猗嗟》之序又刺莊公徒有「威儀技藝，然而不能以禮防閑其母，失子之道，人以爲齊侯之子焉」者。緣文姜之不善，並不見於同生之前，乃發於魯桓晚年入齊之後事。于時莊公已年近弱冠，則文姜入齊之先，應能助父勸阻其母；及後父弑母返，復淫二叔。皆無改於其母之過，則坐視之失，實難逃責，此《序》之所以刺其不能以禮防閑其母是也。

更有甚者，莊公於齊，其仇若不共戴天，然自即位以來，未曾見其有報復行動，其於文姜，更可謂之善待無違。至如如齊納幣（二十二年），如齊觀社，不可不謂之威儀棣棣。人勸其雪恥，且引修德待時之說以自文飾。至其於二十四年如齊逆女，忘親暱仇，於斯最甚。《序》用其母譖父之言，譏之曰「齊侯之子」，豈無深義存焉！異日長勺之戰，三鼓而敗齊師（莊公十年）。柯之盟，手劍而還失地（莊公十二年）。莊公之世，不如桓死之時，未盡爲齊弱也。《猗嗟》之刺其失子之道，非苛論也。

又《甫田・序》云：

> 大夫刺襄公也。無禮義而求大功，不修德而求諸侯，志大心勞，所以求者非其道也。

此言齊襄厭小務大，忽近圖遠，以求大功、求諸侯之事。按齊僖公於魯桓公十四年冬十二月卒，明年齊襄諸兒繼世，是爲襄公。其年即與魯桓會艾，以四國戰郎之故而修好焉，亦所以謀定許，盟夏之志於焉漸露。桓十八年殺鄭子亹而轘高渠彌。莊四年追逐紀侯大去其國。次年會宋、陳、魯、蔡四國之師伐衛，謀納惠公。越三年，與魯同伐郕，郕降於齊師，蓋畏齊不畏魯，而齊則獨受也。觀此可知，齊襄自魯桓十五年即位，以迄於莊八年爲無知所殺止，前後十四年間，聯魯定許，助鄭逐紀，伐衛降郕，皆其求諸侯之事。惜其人不務修德而有鳥獸之行，以若所爲求若所欲，亦志大心勞，終歸無益。《詩》所以言其田者得莠，思遠人者心忉。至言「婉兮孌兮，總角丱兮，未幾見兮，突而弁兮。」猶云彼之求大功，譬童子之傚成人冠服，本非所擬，然猶揣摩化身，可笑其不自量也。

又《盧令・序》云：

> 襄公好田獵畢弋而不修民事，百姓苦之，故陳古風以風焉。

此又刺其從獸無厭，《國語・齊語》及《管子・小匡篇》均有所載，爲其荒國亡身之由也。

《左傳》莊公八年載此事云：

> 齊侯游於姑棼，遂田于貝丘。見大豕。從者曰：「公子彭生也。」公怒，曰：「彭生敢見！」射之。豕人立而啼，公懼，隊於車。傷足，喪屨。反，誅屨於徒人費。弗得，鞭之見血。出走，遇賊於門。刼而束之。費曰：「我奚御哉？」袒而示之背。信之。費請先入。伏公而出，鬥，死於門中。石之紛如死于階下。遂入，殺孟陽于床。曰：「非君也，不類。」見公之足於戶下，遂弒之，而立無知。

緣齊襄之沈迷田獵畢弋，不聽國政，而民則不勝困厄之苦矣！較諸文王之靈囿，人民有苦樂之異者，蓋在於天理與人欲之分而已。

【附　註】

註　一　孔穎達《左傳正義》·第二四八葉·中華書局·一九五七年版。

註　二　司馬遷《史記》卷三十三·第一五三零葉·中華書局·一九七二年版。

註　三　引文見《諸子集成》本·第五冊·第一零三葉·世界書局·民國六十三年版。

註　四　牟潤孫《春秋時代母系遺俗公羊證義》·《新亞學報》·第一期·第三八一葉。

註　五　何休《春秋公羊傳何氏解詁》卷八·第一二九葉·中華書局·民國五十九年版。

註　六　同上註三·第一二九葉。

註　七　陸賈《新語》·《諸子集成》本·第二冊·第七葉·世界書局·民國六十三年版。

註　八　班固《漢書·地理志下》·中華書局·一九七二年版。

第七章 《唐　風》

一、《葛生》《采苓》之刺晉獻公說

按《葛生・序》云：

《葛生》，刺獻公也。好攻戰，則國人多喪焉。

此言晉獻公之好攻戰也。按晉於春秋初年本屬姬姓小國，初封翼，亦稱絳。成六年徙於新田（今曲沃），疆域尚少。莊公十六年，「王使虢公命曲沃伯以一軍爲晉侯」，伐夷朝周，滅翼，統一晉國。莊公十八年，獻公立。二十三年，患「晉、桓莊之族偪」，越二年，「晉士蔿使群公子殺盡游氏之族，乃城聚而處之」。冬，「晉侯圍聚，盡殺群公子。」翌年夏，「城絳以深其宮。」此獻公在位初期，如何肅清內亂，鞏固政權，實行中央集權政策也。

對外方面，彼又實行領土擴張主義，先後滅國近六十餘。莊二十八年，伐驪戎。閔元年，作二軍。滅耿、滅霍、滅魏。次年，使太子申生伐東山皐落氏。僖公二年，滅下陽。五年，八月甲午，圍上陽。冬，十二月丙子，滅虢。遂襲虞，滅之，執虞公及其大夫井伯。越三年，敗狄于采桑。自武公以來，用兵之多，未有過於獻公者，此見其好攻戰也。其民飽受荼毒，導致夫妻分散，不惶啓處。《詩》言「誰與獨處」、「獨息」、「獨旦」。寫夫征不歸，婦人居家怨思孤清之情。其夫雖生死未卜，相會之日遙遙無期。然其心猶冀其歸，「夏之日，冬之夜，百歲之後」，猶其望其「歸于其居」，則婦人思夫之切，嗟歎其無所依託之悲哀，溢於字行間，讀之令人傷感者矣！自漢以後征人思婦之作，及唐世歸怨之篇，創意率由此出。杜甫《新婚別詩》云：「兎詩附蓬麻，引蔓故不長。嫁女與征夫，不如棄路旁。」正用此《詩》意。

又《采苓·序》云：

刺晉獻公也。獻公好聽讒焉。

獻公信讒，莫大於殺太子申生一事，亦誠爲導致其國大亂之重要因由也。僖公五年《春秋經》文：

春。晉侯殺其世子申生。

《左氏傳》於僖四年先述其見殺之原因曰：

初，晉獻公欲以驪姬爲夫人，卜之不吉，筮之吉。公曰：「從筮。」卜人曰：「筮短龜長，不如從長。且其繇曰：『專之渝，攘公之羭。一薰一蕕，十年尚猶有臭。』必不可。」弗聽，立之。生奚齊，其娣生卓子。及將立奚齊，姬謂大子曰：「君夢齊姜，必速祭之！」大子祭于曲沃，歸胙于公。公田，姬寘諸宮六日。公至，毒而獻之。公祭之地，地墳。與犬，犬斃。與小臣，小臣亦斃。姬泣曰：「賊由大子。」大子奔新城。公殺其傅杜原款。或謂大子：「子辭，君必辯焉。」大子曰：「君非姬氏，居不安，食不飽。我辭，姬必有罪。君老矣，吾又不樂。」曰「子其行乎？」大子曰：「君實不察其罪，被此名也以出，人誰納我？」十二月戊申，縊于新城。姬遂譖二公子曰：「皆知之。」重耳奔蒲，夷吾奔屈。

又閔公二年，《傳》載里克之諫獻公無使太子申生伐東山皋落氏之言曰：

太子奉冢祀、社稷之粢盛，以朝夕視君膳者也，故曰冢子。君行則守，有守則從。從曰撫軍，守曰監國，古之制也。夫帥師，專行謀，誓軍旅，君與國政之所圖也。非太子之事也。師在制命而已，稟命則不威，專命則不孝，故君之嗣適不可以帥師。君失其官，帥師不威，將焉用之？且臣聞皋落氏將戰。君其舍之！」公曰：「寡人有子，未知其誰立焉！」不對而退。

是太子帥師，一則無以事父母，二則又恐損害父子之情。一旦對敵，且有殺身之禍者。使其僥幸勝敵猶可說，不然，聲威大失，日後將何以面對天下臣民？可謂百害而無一利者也。然《國語・晉語一》謂此是驪姬之計者，是時僕人贊聞之，曰：

太子殆哉！君賜之奇，奇生怪，怪生無常，無常不立。使之出征，先以觀之，故告之以離心，而示之以堅忍之權，則必惡其心而害其身矣。惡其心，必內險之；害其身，必外危之。危自中起，難哉！且是衣也，狂夫阻之衣也。其言曰：「盡敵而反。」雖盡敵，其若內讒何！

驪姬潛潤之譖，膚受之訴，卒使申生、重耳、夷吾相繼死亡，群公子皆鄙。當日外嬖梁五，東關嬖五，與驪姬之青蠅集謗；惜獻公無所知《詩》人《采苓》三章，所以誡人君偏聽生奸，輕信易敗者深矣！

第八章《秦　風》

一、《黃鳥》之刺秦穆公葬殉以三良說

按三良死因，歷來有二說：

《黃鳥・序》云：

《黃鳥》。哀三良也。國人刺穆公以人從死而作是詩也。

《左傳》文公六年云：

秦伯任好卒，以子車氏之三子奄息、仲行、鍼虎爲殉，皆秦之良也。國人哀之，爲之賦《黃鳥》。君子曰：「秦穆之不爲盟主也宜哉！死而棄民。先王違世，猶詒之法，而況奪之善人乎？《詩》曰：『人之云亡，邦國殄瘁。』無善人之謂，若之何奪之？」

《史記・秦本紀》：

武公卒……，初以人從死，從死者六十六人。三十九年，繆公卒（繆公，武公弟，德

公之少子，凡四傳而及），從死者百七十七人，秦之良臣子輿氏三人，名曰奄息、仲行、鍼虎，亦在從死之中。秦人哀之，爲作歌《黃鳥》之詩。

又《蒙恬列傳》：

昔者秦穆公殺三良而死，罪百里奚而非其罪也，故立號曰「繆」。

《孟子・梁惠王上》：

「仲尼曰：『始作俑者，其無後乎！』爲其象人而用之也。」東漢趙岐《注》：「俑，偶人也。用之送死。仲尼重人類，謂秦穆公時，以三良殉葬，本由有作俑者也。夫惡其始造，故曰此人其無後嗣乎！」

班固《漢書・敍傳》：

旅人慕殉，義過《黃鳥》。顏師古《注》引劉德曰：「《黃鳥》之詩刺穆公要人從死，言今橫不要而有從者，故曰過之。」

從上述所引資料顯示，三良之死，初非自願，本由穆公所要而從之，乃昏君暴主之所爲，出於逼迫。此一說也。劉文淇《春秋左氏傳舊注疏證》云：

《年表》（《史記・十二諸侯年表》）：「秦穆公三十九年，繆公薨。葬。殉以人，從死者百七十人。君子譏之，故不言卒。」此《左氏》舊說，《經》不書秦伯卒義。

（註一）

按，魯以偶人葬而孔子歎，惡其象人而用之，知後世必有用殉故也。劉氏所言，蓋本於杜預《春秋左傳序》「先經始事」之例而爲說，最能發明聖人「重人類」之旨意。今按《春秋》僖公十九年言「邾人執鄫，用之。」昭公十一年言「楚師滅蔡，執蔡世子有以歸，用之。」《左傳》均載時人反對之語，謂之「不饗」，斥之「不祥」（註二），皆以其不合人道之故。此處以人爲殉，亦當在反對之列，故《左傳》及《詩序》皆專責穆公，良有以也。

然後世亦有指三良乃一言諾不苟，輕生圖報之士。彼之從死，乃出自甘以身殉者。此又一說也。《漢書．匡衡傳》云：

> 秦穆貴信，而士多從死。唐張守節《史記秦本紀正義》引東漢應劭云：「秦穆公與群臣飲，酒酣，公曰『生共此樂，死共此哀』。於是奄息、仲行、鍼虎許諾。及公薨，皆從死。《黃鳥詩》所爲作也。

鄭《箋》亦云：

> 三良，三善臣也。謂奄息、仲行、鍼虎也。從死，自殺以從死。

按鄭君此《箋》，與匡說相同。蓋匡學《齊詩》，而鄭君於此箋亦用《齊詩》故也（註三）。然自殺從死之說，與《左傳》《史記》不合。後儒信《序》，則歸咎於穆公；說從感恩，遂責三良。或責康公之用其父亂命，王粲《詠三良》則曰：「結髮事明主，受因良不訾，臨沒要其死，焉得不相隨。」是以受恩重而不能不殉者也。阮瑀之《詠三良》則曰：「誤哉秦穆公，身沒從三良，忠臣不違命，隨軀就死亡。」是褒三良之從死而責穆公之謬誤也。曹植之《詠三良》曰：「功名不可為，忠義我所安，秦穆先下世，三良皆自殘，生時等榮辱，既歿同憂患。」則又哀三良之感恩而自願同死，與匡衡、應劭、鄭《箋》同說也。然即以自願從死論，前人亦有貶之者，故揚雄謂「復言而不近於義，安得為信。」李德裕更謂之「非殉仁義而殉榮樂。」東坡先生晚歲《和陶公詩》，有謂「顧命有治亂，臣子得從違，魏顆眞孝愛，三良安足希。」用魏顆嫁父妾事，即康公不能拒用亂命之意。實本柳宗元「從邪陷厥父，吾欲詩彼狂」一語。而其早歲《詠秦穆公墓》，則曰：「昔公生不誅孟明，豈有死之日，而忍用其良！乃知三子殉公意，亦如齊之二子從田横。」又不從從自殺之說。議論夐殊，王深寧以為學識日新日進，可見其進德修業之功云（註四）。

細考陶淵明《詠三良》詩，蓋作於永初二年間，陶公時年五十七歲。是年，劉裕酖殺零陵王，以張褘為帝之故吏，素所親信；遂封藥酒付褘，密令酖帝。褘不忍進毒，而自殺先亡也。今觀詩文「厚恩固難忘」，「投義志攸希」之句，蓋悼張褘之重義輕生，亡軀殉節。猶之三良激感於秦穆，思恩圖報，又從自殉之說也。

愚意三良之死，既爲從君命，亦是殉君恩，二者於用情無所違背。觀《詩》文「臨其穴，惴惴其慄」之句，乃旁者惋之惜之之辭，不得謂是三良臨壙悼慄之態。若待人迫而納之，何得謂爲百夫之特，而堪以百身贖之耶？彼見穆公之墓，弔三良之殉，故惴惴然。又於無可奈何之時，向天呼叫也。司馬遷《史記・屈原列傳》所謂：「人窮則反本，故勞苦倦極，未嘗不呼天也。」是則殉葬之事，固非三良所能抗拒，亦非由於穆公而有他也。朱子《集傳》云：

> 按《史記》，秦武公卒，初以人從死，死者六十六人。至穆公遂用百七十七人，而三良與焉。蓋其初特出於戎翟之俗，而無明王賢伯以討其罪，於是習以爲常，則雖以穆公之賢而不免。論其事者，亦徒閔三良之不幸，而歎秦之衰，至於王政不綱，諸侯擅命，殺人不忌，至於如此，則莫知其爲非也。嗚呼！俗之弊也久矣。其後始皇之葬，後宮皆令從死，工匠生閉其中，尚何怪哉！（註五）

朱子從秦地之風俗分析殉葬之由，不責穆公，亦不難三良，當是平情之論。根據人類學資料顯示：先民亦有靈魂不滅之觀念，即相信在人死之後會往生另一世界。未來世界即是現生世界之延續。其於今世所擁有之一切，都能於未來世界中一一續享保存。故《禮記》云：「殷人尚鬼。」而人殉之大量出現，也在殷墟甲骨文中（余樹年《論人殉人祭和我國社會史的關係》一九八一《中國古代社會史論叢》第三輯）。從有史可考，秦人流行殉葬，始於武公，亦沿殷制而來。自武公以十六人殉，史稱「初以人從死」，趣四代而至秦穆殉者竟達一百七十七人。今秦景公墓、秦始皇陵已大事發掘（註六），而三良之殉，特以其爲秦之善人見惜於《詩》、《傳》耳！

二、《渭陽》《晨風》《無衣》《權輿》四《詩》之褒貶康公說

按《渭陽・序》云：

康公念母也。康公之母，晉獻公之女，文公遭麗姬之難，未反而秦姬卒。穆公納文公，康公時爲太子，贈送文公于渭之陽，念母之不見也。我見舅氏，如母存焉。及其即位，思而作是《詩》也。

此述康公爲太子時送舅之《詩》，因見舅氏，遂思其母焉。考魯僖公三十二年晉文公卒，魯文公七年，秦康公即位，距穆公之納晉文已十七年矣！猶能追感其事，親人懷念，溢於言表，則爲康公者，可謂孝矣！孔《疏》云：

作《渭陽》詩者，言康公念母也。文公遭麗姬之難奔，未得反國，而康公母秦姬巳卒。

及穆公納文公爲晉君，於是康公爲太子，贈送文公至于渭水之陽，思念母之不見舅歸也。康公見其舅氏，如似母之存焉。於是之時，思慕極深。及其即位爲君，思本送舅時事，而作是《渭陽》之詩，述己送舅念母之事也。秦姬生存之時，欲使文公反國，康公見舅得反，憶母宿心，故念母之不見，見舅如母存也。

孔氏推本當時情事而爲之說，論世知人，斯言當矣！今按《左傳》文公七年載康公之言曰：

文公之入也無衞，故有呂、郤之難。

此康公親見文公入晉之證。呂、郤之難見於僖公二十四年《傳》，《國語・晉語四》所載與此略同。其時「秦伯送衞於晉三千人，實紀綱之僕。」晉人猶是得以復位，孔《疏》考秦姬之卒在僖十五年後，廿四年前，不能確知卒於何年？文公之入必爲秦姬所不及見者。康公時爲世子，推本母氏宿心，厚相餽贈。然念母之切，悠悠之思，又不能以車馬之安舅之身，瓊玉之親舅之體爲具足，是以即位之後，且猶耿然於懷，作是《詩》以攄其孝思也。從康公之送舅思母言，秦、晉殽戰之怨未結也。使康公得位，一本渭陽之思，則二國未嘗不可翻然一改穆公之讎怨。何義門曰：

晉文公之歿久矣！蓋以三帥被俘，兵禍連結。令狐之役，重見欺于趙盾，不能復修先君之好，故追思當日送衞返國而傷晉人之少恩也。（註七）

按義門先生所指趙盾之欺，與晉人之寡恩事者，見於文公六年《左氏傳》、曰：

八月乙亥，晉襄公卒。靈公少，晉人以難故，欲立長君。趙孟曰：「立公子雍。好善而長，先君愛之，且近於秦。秦、舊好也。置善則固，事長則順，立愛則孝，結舊則安。爲難故，故欲立長君。有此四德者，難必抒矣。……杜祁（公子雍母）以君故，讓偪姞而上之；以狄故，讓季隗而己次之，故班在四。先君是以愛其子，而仕諸秦，爲亞卿焉。秦大而近，足以爲援；母義子愛，足以威民。立之，不亦可乎？」使先蔑、士會如秦逆公子雍。

又七年《傳》曰：

秦康公送公子雍于晉，曰：「文公之入也無衞，故有呂、郤之難。」乃多與之徒衞。穆嬴日抱大子以啼于朝，曰：「先君何罪？其嗣亦何罪？舍適嗣不立，而外求君，將焉寘此？」出朝，則抱以適趙氏，頓首於宣子，曰：「先君奉此子也而屬諸子，曰：『此子也才，吾受子之賜；不才，吾唯子之怨。』今君雖終，言猶在耳，而棄之若何？」宣子與諸大夫皆患穆嬴，且畏偪，乃背先蔑而立靈公，以禦秦師。箕鄭居守。趙盾將中軍，先克佐之；荀林父將上軍；先蔑將下軍，先都佐之。步招御戎，戎津爲右。及堇陰。宣子曰：「我若受秦，秦則賓也；不受，寇也。既不受矣，而復緩師，秦將生心。先人有奪人之心，軍之善謀也。逐寇如追逃，軍之善政也。」訓卒，利兵，秣馬，蓐食，潛師夜起。戊子，敗秦師于令狐，至于刳首。己丑，先蔑奔秦，士會從之。

《史記・秦本紀》：

康公元年。往歲繆公之卒，晉襄公亦卒；雍公之弟名雍，秦出也，在秦。晉趙盾欲立之，使隨會來迎雍，秦以兵送至令狐。晉立襄公子而反擊秦師，秦師敗，隨會來奔。

觀乎趙盾立雍之請而多與之衞，且曰秦大而近，足以爲援，已是歡然一家。詎料「宣子與諸大夫皆患穆嬴（《史記・趙世家》謂趙盾所患，乃恐其宗與大夫襲誅之）」，又畏公論之故，於是卒然變計，始以逆雍，忽然改圖，令狐之敗，秦人大出意外。嗟乎！晉人出爾反爾，置君如弈棋，此晉無禮在先，其曲並不在秦，報復自所難免，是以秦、晉搆禍，又復始於此矣。

《無衣・序》云：

刺用兵也。秦人刺其君好攻戰，亟用兵而不與民同欲焉。

《史記・秦本紀》：

（康公）二年，秦伐晉，取武城，報令狐之役。四年，晉伐秦，取少梁。六年，秦伐晉，取羈馬。戰于河曲，大敗晉軍。

按《序》言康公好攻戰者，魯文公八年夏，取武城，以報令狐之役。十年春，晉人伐秦，取少梁。夏，秦伯伐晉，取北徵。以晉之不謝過而黷兵負釁故也。十二年，秦爲令狐之役故，冬，伐晉，取羈馬。二國交相侵伐，至此而思一決，遂戰于河曲，大敗之。復侵晉，入瑕。十六年，楚人、秦人、巴人滅庸。按滅庸是康公兵事之顚峰，而秦楚合勢，晉霸之所以衰，周室之安危亦於焉動搖矣。計康公自即位次年起始，與晉兵遇，前後凡十，殆九敗而一勝。其初雖非出於廣土務民，亦要不出乎復修舊怨，討賊復讎，此《序》所以言刺之由。《詩》言「豈曰無衣，與子同袍。」《箋》謂此責康公之不與民同欲，豈嘗曰女無衣，我與之共袍乎？乃意譏其恩澤不下於民，未嘗與民同其甘苦，相保相愛於無事之時，但求之患難相恤之日，遂驅之使塡溝壑，斯民之不能無怨，此所謂「君子信而後勞其民，未信，則以爲厲」是也。（《論語・子張篇》子夏語）至「王于興師，脩我戈矛，與子同仇」之句。《毛傳》更援《論語・季氏》「天下有道，則禮樂征伐自天子出」之文，總釋全《詩》之旨，亦爲對康公平生私意用兵之整體批評。夫征伐自天子出，則下國不敢自擅而兵禍自息，秦地民人百姓可免於征役戰鬥之苦，於是追念古明王用兵之道，假衣服而爲言，興歎其所不欲。辭雖婉曲而不直致，亦《詩》人譎諫之義，正與《匪風》之思周道同風也。

至《晨風・序》云：

> 刺康公也。忘穆公之業，始棄其賢臣焉。

又《權輿·序》云：

刺康公也。忘先君之舊臣與賢者，有始而無終也。

按此二《詩》，《序》皆刺康公棄先公之舊臣與賢者，忘三年無改之義，始則待臣以厚禮，即位未幾，禮義漸衰，以致下情否塞而不能上達。臣子思君之切，心中欽欽然憂，歎夫忘我之多，而言如何如何者，不盡關山之隔，且猶予日望之之情焉，亦見臣子不忍遽絕之意也。論者或以此責康公庸鄙，與不能如魏顆之拒用亂命，殺三良以殉事有關。然上章已言殉葬乃秦戎舊俗，非一朝一夕之故，亦非一人一時之力所能抗拒，本無庸歸罪於康公。獨康公用先人之亂命，終不能免於棄賢之責。又按之《傳》文，康公不能用繞朝之言阻止士會之東。《韓非子·說難篇》亦謂「故繞朝之言當矣。其爲聖人於晉，而爲戮於秦也。」此康公忘棄舊臣之事也。

《左傳》文公十三年云：

晉人患秦之用士會也，夏，六卿相見於諸浮。趙宣子曰：「隨會在秦，賈季在狄，難日至矣！若之何？」……郤成子曰：「賈季亂，且罪大，不如隨會。能賤而有恥，柔而不犯，其知足使也，且無罪。」乃使魏壽餘僞以魏叛者，以誘士會。執其帑於晉，使夜逸。請自歸於秦，秦伯許之。履士會之足於朝。秦伯師於河西，魏人在東。壽餘曰：「請東人之能與夫二三有司言者，吾與之先。」使士會。士會辭，曰：「晉人，虎狼也。若背其言，臣死，妻子爲戮，無益於君，不可悔也。」秦伯曰：「若背其言，所不歸爾帑者，有如河！」乃行。繞朝贈以策，曰：「子無謂秦無人，吾謀適不用也。」

據此，康公貴高處極，綏賢忘士，賢人在下位而無輔，雖有繞朝之言不能用，忠賢嘉賓豈得盡心爲用矣乎？宜其不能繼霸也。《權輿詩》言康公待賢禮貌漸衰之事，始則「夏屋渠渠」（註八）、「每食四簋」，非不盛也。終而每食「無餘」、每食「不飽」，其待賢之意寖薄有如是者，此詩人所以歎其權輿不繼也。緣禮食之具否本是人生小節，似不應以口腹之欲而責望於君者。殊不知人君禮賢，所以存道，是故武王問道而先齊，且無南面（《大戴禮．武王踐阼篇》）。今而忽之，正以忘道。此所以膰肉不至而孔子行（《孟子．告子下》），醴酒不設而穆生去（《漢書．楚元王傳》）。君子見幾而作，不俟終日，蓋不可以朝夕不食，但求周之免死，而以禮爲拘虛者也。

【附註】

註一 劉文淇《春秋左氏傳舊注疏證》・第五零七葉・太平書局・一九六六年十月版。

註二 僖公十九年《左傳》，宋公使邾文公用鄫子于次睢之社，欲以屬東夷。司馬子魚曰：「祭祀以爲人也。民，神之主也。用人，其誰饗之？」又昭公十一年《傳》：「楚子滅蔡，用隱太子於岡山。申無宇曰：『不祥』。」

註三 按鄭君初受《韓詩》于張恭祖，後復從馬融受《毛詩》而爲之箋。《鄭志・答炅模》云：「爲《記》（禮記）注時，執就盧君（盧植，治《齊詩》）。先師亦然（玄師張恭祖也，授玄《韓詩》）。後乃得《毛公傳》，既古書，義又宜然。《記》注已行，不復改之」鄭君初受《韓詩》于張恭祖，注《禮》時，未得《毛詩》，及其箋《詩》，一從毛義，不復涉三家，蓋先迷後得主也。

註四 《翁注困學紀聞》・卷六・《左氏類》・「孟獻子愛穆伯二子」條・中華書局・民國五十九年六月二版。

註五 朱子《詩集傳》・卷三・第五十二葉・世界書局・民國七十五年十一月五版。

註六 八一年香港《文匯報・秦始皇陵新發現詳記》・又八六年五月五日《大公報・秦公一墓報告》。

註七 何焯《義門讀書記》・第七卷・《詩經上》・第一四二葉・北京中華書局・一九八七年六月版。

註八 按屋，毛公無傳，鄭君箋爲具。《爾雅・釋言》：「握，具也。」邢昺《疏》云：「《秦風・權輿》：『夏屋渠渠』。鄭《箋》：『屋，具也。』義其同乎？」按《說文》古文握作　，與屋字形相近。又按具，《說文》本字作暴，「舉食者。」故鄭君以爲禮食大具之盛是也。段玉裁《說文解字注》釋暴字曰：「四圍有周，無足，置食物其中，人拱以進，别於案者。案，一人扛之；檗，一人對擧之也。」張舜徽《說文解字約注》云：「今民間婚喪宴賓，猶用此器，俗稱抬盤。」此卽屋檗具體之狀。按之《經》文，通篇皆言飲食之事，與屋宅無涉，王肅以爲居室。惠周惕《九經古義》用之。馬瑞辰《毛詩傳箋通釋》謂不若《箋》訓爲確，得其義矣。

第九章 《陳 風》

一、《株林》《澤陂》之刺陳靈公說

按《株林序》云：

《株林》，刺靈公也。淫乎夏姬，驅馳而往，朝夕不休息焉。

又《澤陂序》云：

《澤陂》，刺時也。言靈公君臣淫於其國，男女相說，憂思相感焉。

此言上行下效，風亂其國，詩人目擊傷心，因作詩以諷也。

《左傳》宣公九年云：

陳靈公與孔寧、儀行父通於夏姬，皆衷其衵服，以戲于朝。洩冶諫曰：「公卿宣淫，民無效焉，且聞不令。君其納之！」公曰：「吾能改矣。」公告二子。二子請殺之，公弗禁，遂殺洩冶。孔子曰：「《詩》云：民之多辟，無自立辟。其洩冶之謂乎！」

又十年《傳》云：

陳靈公與孔寧、儀行父飲酒於夏氏。公謂行父曰：「徵舒似女。」對曰：「亦似君。」徵舒病之。公出，自其廄射而殺之。二子奔楚。

《史記・陳世家》：

靈公與其大夫孔寧、儀行父皆通於夏姬，衷其衣以戲於朝。泄冶諫曰：「君臣淫亂，民何效焉？」靈公以告二子，二子請殺泄冶，公弗禁，遂殺泄冶。十五年，靈公與二子飲於夏氏。公戲二子曰：「徵舒似汝。」二子曰：「亦似公。」徵舒怒。靈公罷酒出，徵舒伏弩廄門射殺靈公。孔寧、儀行父皆奔楚，靈公太子午奔晉。徵舒自立爲陳侯。

陳靈公之荒淫無道，已見於前。又據《國語・周語中》載周王卿士單朝假道於陳時所見，其國火覿而道猶茀，水涸而梁未成，野場若棄，澤不陂障。但知築臺夏南，帥其卿佐朝夕淫於夏氏。《詩》言其往株林之時，「駕我乘馬，說于株野。乘我乘駒，朝食于株。」初本以諸侯車騎以出，後因洩冶之諫而有所顧忌，於是砌詞他往，改乘大夫之乘，且「棄衰冕而南冠。」易服微行，掩人耳目；永夕永朝，淫蕩忘返。則陳國之政令怠荒亦可見矣。《詩》之首章又言：「胡爲乎株林？從夏南。匪適株林，從夏南。」《毛傳》云：「夏南，夏徵舒也。」此其淫於夏姬之時，不避徵舒。其後徵舒漸長，「以其母辱」，憤恨難平，終致廄門之禍，良有以也。《禮記・禮運》云：「諸侯非問病，弔喪而入諸臣之家，是謂君臣爲謔。」鄭玄《注》：「陳靈公與孔寧、儀行父數如夏氏以取弒焉。」是也。其民百姓，惟知戀色，以至於「寤寐無爲，涕泗滂沱。」此外便更無他好，鄙之甚矣！當中，雖有洩治預知國亡君弒之幾，昧死直諫，盡言無隱。然大廈之將傾，絕非一繩所能繫挽，洩冶之言，卒亦惹來殺身之禍耳！

劉向《說苑・君道篇》云：

> 陳靈公行僻而言失，泄冶曰：「陳其亡矣！吾驟諫君，君不吾聽而愈失威儀。夫上之化下猶風靡草，東風則草靡而西；西風則草靡而東。在風所由而草爲之靡，是故人君之動，不可不慎也。夫樹曲木者惡得直影，人君不直其行，不敬其言者，未有能保帝王之號，垂顯令之名者也。《易》曰：『夫君子居其室，出其言善，則千里之外應之，況其邇者！言出於身，加於民；行發乎邇，見乎遠。言行，君子之樞機；樞機之發，榮辱之主，君子之所以動天地。』可不慎乎！天地動而萬物變化，《詩》曰：『慎爾出話，敬爾威儀，無不柔嘉。』此之謂也。今君不是之慎而縱恣焉，不亡必弒。」靈公聞之，以泄冶爲妖言而殺之。後果弒於徵舒。

此載泄冶成仁取義之經過，較《經》《傳》爲詳盡，劉向近古，所見群書尚多，當有可信。

然對洩冶死義之評價，《春秋》無文，《左氏傳》於篇末載孔子所引《詩大雅・板》句。亦未見褒義。杜預於本《經》「陳殺其大夫洩冶」之句下注云：

> 洩冶直諫於淫亂之朝以取死，故不爲《春秋》所貴而書名。

孔《疏》云：

> 情色之惑，君不能得之於臣，父不能得之於子。臣子而欲顯直於其君父，適所以益謗而致罪也。洩冶進無匡濟遠策，退不危行言孫；安昏亂之朝，慕匹夫之直；忘蘧氏可卷之德，死而無益，故《經》同罪賤之文。

是孔沖遠又本之杜預而爲說也。今按《大雅・板詩》《毛傳》云：「辟，法也。」與《說文》合。鄭君以「民之多辟」爲「邪僻」，則是辟之假借。《說文》云：「仄也。」顧炎武《左傳・杜注補正》從之，蓋舊解如是也。若然，則其意豈非貶斥抗言獲戾之人，鼓勵員圓每生之士者耶？聖人設教，無是理也！故清儒劉逢祿云：「自此言出，而仗馬寒蟬者得志矣！非《論語》仁比干，《春秋》撥亂世之義。」是也。（註一）顧棟高《春秋大事表・左傳杜注正訛表》云：

> 案此段杜、孔之論有傷名教，貴洩冶不能早諫則可。至謂其直諫取死，不爲《春秋》所貴。是以緘默苟容者爲賢；以捐軀犯難者爲不肖也。孔氏謂其懷寵不去，王氏《經

世》有言：必欲皆爲子哀、叔肸，則亂世何賴有君子？《左傳》假託孔子之言（此說不可從，詳下駁正），而《正義》復遠引《家語》，謂孔子論此事，洩冶不得同于比干。是朝廷自一、二貴族大臣外，擧無一可諫者也，豈不爲世教之罪人哉！

劉文淇曰：

《春秋》五十凡無鄰國殺卿大夫書名示罪賤之例，此類書法，皆從告辭，不關褒貶。此《經》《公羊》無傳。《穀梁》則云：「稱國以殺其大夫，殺無罪也。」杜說於《三傳》皆不合。自杜謂《經》罪賤洩冶，宋儒乃謂此非聖人之言，杜氏之罪也。

顧文直斥杜、孔之說爲犯教傷義者，誠是。劉氏再據凡例及《公》《穀》二傳之文，以見杜氏言《春秋》書名爲有罪之說之不能成立。就義理上言，洩冶因諫而受誅，正與比干同風，是殺身成仁，捨身取義之事，皆可謂死非其罪。懍懍焉，皜皜焉，其與琨玉秋霜比質可也。聖人實不應窒息賢者直諫死烈之義有如是之甚者。故齊召南曰：「謂洩冶不見幾早去猶可，謂直諫而非忠必不可。」（註二）此見杜說之未善也。今按王肅《家語》卷五・《子路初見篇》引孔子之言曰：

洩冶之于靈公，位在大夫，無骨肉之親，懷寵不去，仕於亂朝。以區區之一身欲正一國之淫昏，死而無益，可謂狷矣。

此杜說之所本也。然《家語》一書，後人多以爲王肅僞撰，未可盡信。即以其中所謂「無骨肉之親」，與職位卑微兩事而論，近人章炳麟先生辨之如下：

> 麟案：太傅至以泄冶與比干並稱，雖非謂二人儕等，而泄冶之忠盛可知。古義誼昭然，不容移易。王肅妄託聖言，駁比干於泄冶，而杜預本之，又安知泄冶於靈公非有骨肉之親乎？其書名者，固與仇荀一例，又安知非泄冶官卑，其名未當見《經》，而書名已爲褒乎？（註三）

今按章說是也。大抵王肅附益《傳》文而爲之，非篤論也。明楊于庭云：

> 人臣食人之祿，則當忠人之事，目視其君之昏而噤不一語，其若臣子之義何？孔子曰：「危邦不入。」解者曰：「仕危邦者，無可去之義。在外，則不入可也。」洩冶既仕危邦，自當授命。若以宋子哀之去爲是，而于洩冶之諫訾之，是比干不得與微子並稱仁也。率天下爲人臣者，視君之昏而遂恝然去之而不顧，必胡氏之言夫！（註四）

爲人臣者，自當對其君主國家負責，亦當對天地良心盡責，此等無限之責任感，實與其精神生命相表裏，亦與之相終始，所謂任重道遠，死而後已者此也。按之《禮記・文王世子》所載孔子聞之古言爲人臣之道之語曰：「爲人臣者，殺其身有益於君則爲之，況於其身以善其君乎！」夫忠不避死，諫不違罪，臣子迂曲其身以成君之善，猶尚優爲之，況殺身以爲國乎！

又考之《論語・微子篇》孔子駁斥長沮、桀溺之言曰：「天下有道，丘不與易也。」此聖人一生奔走於途，要在乎期以旋乾轉坤，救國救民之事，斯所以為大聖大仁者以此。則其於洩冶之所為，理應同情共感，絕無貶義是也。哀十五年孔悝之難，「柴也來，由也死矣！」夫子何曾有非之之心！夫以「仲由之善，不能息其結纓」，夫子憤慨之情，溢於言表。今也陳國上下若狂，一國所倚恃，宗廟社稷所憑式，亦惟洩冶一人而已，何必貴戚乃可諫乎！彼惟惟音嘵嘵於風雨漂搖之間，既已羽譙尾消矣！仁人君子，尤宜腐齒疚心者也，不責夫殺諫者反責諫而被殺者，豈公論哉？善乎劉文淇之言曰：

> 《傳》引孔子論洩冶，蓋惜其事非其主，非深貶之詞。沈欽韓云（註五）：「賈子《新書・雜事篇》：『陳靈公殺洩冶，而鄧元去陳。以族徙。』」沈引此者，以賈誼傳《左氏》，其嘉鄧元之去，則惜洩冶之死。賈誼取此，傳孔子論洩冶義（《大戴禮・保傳篇》亦有此說）。（註六）

據此而言，夫子引《詩》之意，實是反言若正，若稱顏子之非助己；子游絃歌之焉用牛刀，故為憾之之詞耳！後儒未達衷曲，多所疑異。劉氏就其端緒，反覆推尋，使大義復昭天日，可謂深得《經》旨，遠勝舊注者矣。

此《詩》諷刺靈公從夏氏子南之母為淫佚之行，立言極為滑稽幽默。先是靈公不念胤續之常，棄其伉儷妃嬪，而率其卿佐，以淫於夏氏。人見而問之：「胡爲乎株林？從夏南乎？」彼則諱辭對以他適，以自掩飾。然見其棄袞冕南冠遠出國都之外，且舍車駕于株野，又變易車乘，抵於株林。稅於斯，食於斯，無往而不在株林。君之簡彝若此，朝夕忘返如此。夫株林即夏南所在，尙以爲非適夏姬乎？姚際恆曰：

二章一意，意若在疑、信之間，辭已在隱躍之際，詩人之忠厚也，亦詩人之善言也。（註七）

夫陳之君臣荒淫無恥有如是之甚者，不遭天譴，亦有人禍，則楚之入陳，靈公實有以召之也。

【附註】

註一　劉逢祿《左氏春秋考證》．《皇清經解》卷一千二百九十四．冊十九．第一四一八九葉。

註二　齊召南《左傳注疏考證》卷二十二．《皇清經解》卷三百一十二．冊五．第三三三八葉。

註三　章太炎《春秋左傳讀》．《宣公篇》．《章太炎全集》．第三八二葉．上海人民出版社．一九八二年七月第一版。

註四　楊于庭《春秋質疑》卷七．《宣公篇》．「陳殺其大夫洩冶」條．《欽定四庫全書》。

註五　沈欽韓《左氏傳補注》卷五．《皇清經解續篇》．冊九．第六七零零葉。

註　六　劉文淇《春秋左氏傳舊注疏證》．第六六七葉．太平書局．一九六六年十月版。

註　七　姚際恆《詩經通論》．卷七．第一五零葉．香港中華書局一九六三年一月版。

第十章　《曹　風》

一、《候人》《下泉》之刺曹共公説

按《候人・序》云：

《候人》，刺近小人也。共公遠君子而好近小人焉。

此刺曹共公遠君子而近小人也。又《下泉・序》云：

《下泉》，思治也。曹人疾共公侵刻民，不得其所，憂而思明王賢伯也。

此又言共公之虐政虐民，百姓厭亂思治，追懷先公先王之世也。（註一）

《左傳》僖公二十三年曰：

晉公子重耳之及於難也。……及曹，曹公聞其駢脅，欲觀其裸浴，薄而觀之。僖負羈之妻曰：「吾觀晉公子之從者，皆足以相國。若以相，夫子必反其國；反其國，必得志於諸侯。得志於諸侯，而誅無禮，曹其首也。子盍蚤自貳焉。」乃饋盤飧，寘璧焉。

公子受飱反璧。

又僖公二十八年《傳》曰：

晉侯圍曹，門焉（門，作動詞用，攻城也。《公羊》訓作守也），多死。曹人尸諸城上，晉侯患之。聽輿人之謀，稱「舍於墓」。曹人兇懼，為其所得者，棺而出之。因其兇也而攻之。三月丙午，入曹，數之以其不用僖負羈，而乘軒者三百人也，且曰獻狀。令無入僖負羈之宮，而免其族，報施也。

晉公子重耳因驪姬之難，逃亡國外十九年，備嘗險阻艱難，盡知人之情偽。中經於曹，受到無禮對待。曹共公雖有僖負羈之諫而莫之從，卒受舍墓國危與責數之報，信不為枉。此正見曹共公之好近小人，不得民心之處，說與《左傳》相合也。至《傳》謂不用僖負羈之言者，《淮南子・人間訓》曰：

晉公子重耳過曹，曹君欲見其骿脇，使之袒而捕魚。釐負羈止之，曰：「公子非常也，從者三人，皆霸王之佐也。遇之無禮，必為國憂。」君弗聽。重耳反國，起師而伐曹，遂滅之。（註二）

劉向《說苑》亦有同樣記載，其《尊賢篇》云：

曹不用僖負羈之諫，敗死於戎。

又《正諫篇》曰：

昔陳靈公不聽泄冶之諫而殺之；曹羈三諫曹君而去。《春秋》序義雖俱賢，而曹羈合禮。

又曰：

曹不用僖負羈而宋幷之。（註三）

由此可知，共公之世，可謂善人少而惡人多；君子道消，小人道長之時。故《候人詩》言「彼候人兮，何戈與祋。彼其之子，三百赤芾。」「彼其之子，不稱其服。」《毛傳》曰：「候人，道路送賓客者。言賢者之官，不過候人。」《箋》云：「是謂遠君子也。」按《禮記・玉藻》云：「一命緼韍幽衡，再命赤韍幽衡，三命赤韍蔥衡。」《左傳》言乘軒者三百人；《詩》言三百赤芾，皆大夫之車服，三百則極言其多也。故明郝敬《讀左傳日鈔》卷三云：「曹蕞爾國，舉群臣不能三百人，而況大夫？言三百者，極道其濫耳。」是也。與之相對者，彼賢智之人，荷揭戈祋，作候人之徒屬，奔走於塗也。孔《疏》云：

此說賢者爲候人，乃身荷戈祋，謂作候人之徒屬，非候人之官長也。賢者之身，充徒中之一員耳，若居候人職，則是官爲上士，不宜身荷戈祋，不得刺遠君子。此知賢者所爲，非候人之官長也。

據宣公十二年《左氏傳》，隨季對楚少宰（楚使）曰：「豈敢辱候人？」是侯國有候人矣。《周禮・夏官》言候人之職曰：

各掌其方之道治，與其禁令，以設候人。若有方治，則帥而致於朝。及歸，送之于境。

又《國語・周語中》（註四）云：

周之《官秩》有之曰：「敵國賓至，關尹以告，行理以節逆之，候人爲導。

是知候人之官者，蓋主逆賓客，暨邊境道路之辨護稽查等事項。《孔疏》更言彼賢者只爲候人之徒屬。則其人之品位卑微，沈屈下僚，較諸彼等食稻衣錦，委蛇朝廷三百之士，實不可同日而語。夫以此等有用之材，竟爾投閑置散若此，則國事之不堪聞問亦可想而知，無怪乎其民百姓想求他治，幾於「逝將去女，適彼樂土」也。《禮・表記》云：

是故君子服其服，則文以君子之容；有其容，則文以君子之辭；遂其辭，則實以君子之德。是故君子恥服其服而無其容，恥有其容而無其辭，恥有其辭而無其德，恥有其德而無其行。是故君子衰絰則有哀色，端冕則有敬色，甲冑則有不可辱之色。《詩》云：「維鵜在梁，不濡其翼；彼其之子，不稱其服。」

夫有容服飾之容，必有德行之實以副之；今也食而浮於人，則小人之尸位竊祿可知矣。《論語》哀公問曰：「何爲則民服？」孔子對曰：「舉直錯諸枉則民服，舉枉錯諸直則民不服。」

觀乎曹共公好人之所惡，惡人之所好，非但不足以服人心，將由是而馴至於禍亂也不難矣！至於《下泉》之序「刺其侵刻下民，不得其所。」共公政績於《傳》雖無明文，而僖三十一年《經》「取濟西田」。《左傳》曰：「分曹地也。」《公羊傳》曰：「晉侯執曹伯，班其前取侵地于諸侯。」又僖公二十八年晉侯入曹，《公羊傳》曰：「曹伯之罪何？甚惡也。其甚惡奈何？不可以一罪書也。」案二《傳》之文，則共公平日掠奪異國之土地人民以勞其民者，事必有之，可以《詩序》左證矣！

後世或以《國語・晉語四》載楚成王語已引《詩》「彼其之子，不遂其媾」句，以疑《序》者，清儒胡承拱《毛詩後箋》辨之云：

《序》云：「《候人》，刺近小人也。共公遠君子而好近小人焉。」陸堂《詩學》曰：「石林葉氏言，漢世文章未有引《詩序》者，惟黃初四年有共公遠君子，近小人之語，蓋衛宏《詩序》至魏始行也。」愚謂《左傳》晉文入曹，數其不用僖負羈，而乘軒者三百人。宏說似乎有因，若以《國語》參之，頗覺其謬。《晉語》，令尹子玉請殺晉公子，楚成王不許，又請止狐偃。王曰：「不可。《曹詩》曰：『彼己之子，不遂其媾。』郵之也。」（韋昭《注》：「郵，過也。」按郵，應是訧之假借。《說文》：「訧，罪也。」）案楚成王之立在惠王六年，曹共公之立在惠王二十五年，晉公子如楚在襄王十四年。楚成與曹共雖爲同時，然豈有曹之新詩，而楚君已成誦在口者。《候人》之刺共，與《蜉蝣》之刺昭，《序》說似皆未可從。」承拱案，葉氏之說，與《六經奥論・詩序辨說》同。陸氏更據《國語》以疑刺共之說，不知風謠之作，列國流傳。《曹詩》偶傳於楚，而成王誦之，亦事所恆有。僖二十四年《左傳》，鄭子臧好聚鷸冠。君子曰：「服之不衷，身之災也。《詩》曰：『彼己之子，不稱其服。』」此記當時君子之語，亦在與曹共同時，又何疑於楚王之成誦乎？至宋儒據范氏謂《詩序》出於衛宏，遂疑此《序》乃宏附會《左傳》爲之。不知《毛傳》於三百赤芾云：「大夫以上，赤芾乘軒。」《經》文惟言赤芾，而《傳》益以乘軒，與《左傳》合。足見毛以前《經》師相承爲刺共之《詩》，必非衛宏之所能附會矣。（註五）

按陸氏之言雖不足信，然彼於時間之差距上，懷疑曹之新詩而楚君成誦在口一層，實甚有可取。愚意以爲：在時間上言，詩之流傳於列國，極爲迅速。在空間上言，其散播又似不受地域之阻隔。反影時人接觸聯系之密切，國與國間往來之頻繁。從外交使節及時人賦詩見志中，詩之運用，最少在上層社會言，是極爲普及與大衆化者，宣十二年《傳》載邲戰之後，楚莊王拒潘黨築觀紀功之議，引經據典，大義凜然。正見吾華文化之同出一源，本無所謂南北之分，《國語》謂楚之君臣多能雅言，實非誇誕。良以風謠之作，在寫性靈，故感人最深；

又爲有韻短文，口吻調利；而賦《詩》見志，又爲當日貴族階級必學課題，故爾一當興至，便能應感隨來，不受時空間隔。故孔門特用《詩》教作爲入德初階，與起來學之善心美志。後世雖有秦火之烈，而《三百篇》猶能幸保不失者，此也。

【附註】

註一　此據宋儒王應麟說，見《困學紀聞》卷三，《詩》類，「邶、傭自別於衛，次曹於豳，思復二南」條，中華書局，民國五十九年二版。

註二　劉文典《淮南鴻烈集解》，臺灣商務印書局，民國六十一年版。

註三　劉向《說苑》卷八，中華書局，民國五十五年版。

註四　《國語》卷二，《周語中》，第七十一葉，上海古籍出版社，一九七八年三月第一版。

註五　胡承洪《毛詩後箋》卷十四，《皇清經解續篇》，第五三五七葉，復興書局，民國六十一年版。

結論

乙卯年夏，愚隨　文擢師習《春秋左氏傳》，深感左氏之敍事詳明與議論之公正，較諸《公》《穀》，實有過之。即以「鄭伯克段」一事爲例，二《傳》皆謂鄭莊養就弟惡，處心積慮而殺之。獨《左傳》乃歸於鬩牆之禍，如二君之攻伐然，其初都緣鄭莊失教之故，鄭莊本無存心。今覈諸史實，叔段攻其兄不勝而逃諸鄢；州吁求與之友而弒衛桓。莊十六年，叔段之孫公父定叔與於雍糾之亂而奔衛；事隔三年，鄭莊招而歸之，以爲不能使叔段無後於鄭故。然則鄭莊之於叔段，未忘骨肉之親，殺弟之說不攻而自破矣！又讀兩《叔于田》及《將仲子詩》，祭仲屢言鄭莊早爲之所，則曰：「畏父母」、「畏兄弟」、「畏他人之言」。祭仲諫之彌固，鄭莊拒之彌堅，其畏母鞠弟之情，可補《左氏》之未備。一述史實，一寫情眞，合之可得其表裏精粗，而聖人之美刺褒貶之精義微旨可得而見焉，斯爲《詩》《傳》並讀之效驗也。愚因憶及《詩》《傳》之中，若斯類者蓄蘊尚多，於是不揣愚陋，錄引《詩》文，合以《傳》說，得四十餘首，加以排比詮釋，所得結論，有如下數端焉：

一、《詩》與《春秋》相表裡

按《春秋》言事，「微而顯，志而晦，婉而成章。」（杜預《春秋・左氏傳序》）其諱君親，恆變文以出，有所權衡。《風詩》出於民間，其刺君惡，皆直辭以陳，無所忌諱。如鄭世子忽不婚大國，又不能用賢，《狡童詩》斥之曰「狂童之狂也且！」衛宣之上烝下報，《詩》刺以雄雉，託與鳥獸。許穆夫人歸唁其兄而不得，因謂許之上下「衆稚且狂」。凡斯種種，情見乎辭，讀之令人低徊者再。《詩大序》所謂「主文而譎諫，言之者無罪，聞之者足以戒」是也。世之論者，視《詩》只爲純文學，抹殺其美刺而不談，置聖人之精義微旨於無地，斯亦儒者見偏之言，其不公有如是者也。秦漢以後，帝制王權之重峻森羅，凡譏議朝政者，尠能避禍。此又見三代之民主模式遠較後世爲寬大自由，《三百篇》之所以經歷萬變而其道不窮者此也！

二、《詩》教與《春秋》教既表當時，亦垂法後世

拙文探索之範疇，限於《風詩》，不及《雅》、《頌》。至若周之正《雅》，幽厲之見

於變《雅》，都有史事可證而皆未及，不惟未足。但見此間所錄，雖有地域之不同，時間之差異，然在《詩》與《詩》之間，事與事之間，陳陳相因，曾無間然。由鄭莊之小霸以迄於秦穆殉以三良，二百餘年間，先有周鄭交惡，見出王權衰落。鄭有鬩牆之禍，子弟僭移。叔段敗而走於衛，鄭莊之子忽恃功而拒婚於齊。走於衛者州吁與之友而成弒，拒於齊者因畏齊俗之荒淫。其後州吁被殺。改立宣公。上烝下報，禍延國人。上焉者伋壽爭死，下焉者男女奔淫；本顛末壞，終爲戎狄所乘。衛文率其遺民渡河野處，齊桓城之楚丘，遺以器服車馬。衛人戴之，投輕報重，故《木瓜》繫之終焉。又讀「彼己之子，三百赤芾」之句，本是時人刺曹共公失德之《詩》，然晉文能言，楚王成誦。此見《風謠》之作，散播流傳於列國若斯其速，賦誦者一旦引詩見志，便能應感隨來，無遠弗屆，此又見列國往來之頻密，暨詩教感人之深厚也。由上所言，足見《詩》與《傳》之囊括時事，報若影響，近者十數年，遠者春秋二百四十年，皆一一滙聚而成一變化更迭，因果相應之過程。於是《詩》事乃成一有機之《詩》事，《傳》載亦如有生命之記載。而聖人之深義微旨，經驗啓發，讀之令人覺其洋洋乎如在其上如在其左右矣。

三、孔門重視《詩》教之意義

按王應麟《困學紀聞》卷三《詩類》曰：

春秋時，諸侯急攻戰而緩教化，其留意學校者，唯魯僖公能修泮宮，衛文公敬教勸學，它無聞焉。鄭有《子衿》城闕之刺；子產僅能不毀鄉校而已。

夫春秋二百四十二年，《詩》有菁莪樂育之篇，諷刺學校之毀廢。中間唯魯僖公修教於泮宮，衛文見美於「道化」，兩人而已。此見當世重視富國強兵，急功近利無待於戰國。先是魯昭之世，孟僖子爲介，以不能相禮爲病，遂從能禮者而講習之，獲見禮乃人之幹，無禮無以立；及其將死，亦以師事仲尼學禮爲屬。斯亦可謂善戒，足以燕翼子，貽謀孫矣！孔子目睹諸侯之漸無統紀，時人之厭亂思治，於是反其道而行，本諸「仁愛」「己立立人」「與人爲善」之種種動機，大興文教；以學詩學禮詔伯魚，祈以言立。「以四科（文、行、忠、信）教士，隨其所喜。譬如市肆多列雜物，欲志之者並至」（語見桓譚《新論》）採取學思並重，憤悱啓發之方式，因材施教。率先打破過去教育只爲貴族而設之壟斷局限。然聖人施教之最大目標，推己立人之願以至乎忠恕，忠恕之道即爲行仁。而下學功夫，除知識技能之灌輸外，尤其重視《詩》與《春秋》。蓋《詩》之美刺，《春秋》之褒貶，皆針對時君，切中時弊。最能了解社會，認識社會之最好教材。故王應麟謂「《詩》與《春秋》相表裡」，此語誠是。（語見《困學紀聞》卷六《春秋》類）古代王者陳詩以觀民風，知所得失而自警惕焉，有其直接諷諫人君之作用。然自王者之迹熄而詩亡，人情無復止於禮善，於是《春秋》繼作。孔子修《春秋》，游、夏之徒不能贊一辭，可見其用力之精勤與態度之嚴謹。將其整個精神生命之完全投入制作之中。近人楊伯駿先生爲《左傳》作注，視《春秋》只爲孔門說近代史之教科書。殊不知明天理，正人倫，莫深切於《春秋》。孟子引孔子之言曰：「其事則齊桓、晉文，其文則史，其義則丘竊取之矣。」夫「義出於經，經、傳，大本也。」聖人之所謂「竊取」者，正惟其精義微旨焉，故不能復儕諸史也。古以《六經》即聖人之心，而《春秋》亦足概括孔子旨意；其平生竭盡仁愛至誠培訓後學，無非寄望其精神生命之能薪傳不絕。彼謂「我欲載之空言，不如見之行事之深切著明。（《史記・太史公自序》引董仲舒說）其理想願望不祗於著書立說，徒然在文字上做功夫便獲得滿足。但以其當時之年紀，英雄遲暮，已無法挽回其政途上之失意落空。作爲一個教育工作者，亦不僅僅限於傳道授業而已；彼更會將其理想心願加諸門人弟子身上。於是透過《春秋》之教，承接過去《詩》教之精神，向學生指出時君之得失，暨世道人心日趨萎靡之所由。望其於日後參政行道之時，當下便可切中時艱，誦《詩》三百，授政而可達出使而專對（《論語》文）。太史公言爲君爲臣。俱不可不知《春秋》。二《經》之有神政理如是其重。即以個人道德修養，亦中正和平。最顯著者如伋壽之爭死，太子申生之自殺以諱父過等忠孝思想實有歪曲。以其無補於雙親，而深害於子女故也，乃示曾參以「小杖則受，大杖則走」之方，作爲全身遠害，留身有待以事於君父之合理戒條。然則透過《春秋》之教，作爲勸善救世之用者，其效豈淺尠哉！

冠華受業蘇師文擢教授瞬屆二年，承賜指導，不勝感奮！不但經史詞章深受其益，最難得者當爲在治學之途徑上之啓悟。使我明白如何掌握系統式與重點歸納式之研究法門。即是首先建立其大體，再定其小體，在一以完整之人或事爲中心之系統中，勾稽其綱領條目，籠圈條貫，自是已可窺得爲學之大凡矣。「至於用力之久，而一旦豁然貫通焉，則衆物之表裡精粗無不到，而吾心之全體大用亦無不明矣！」朱子之言，正是此意。雖然，鼴鼠飲河，不過滿腹；若有所得，亦屬管蠡之見，較之曩者逐章逐節孤文之隅隙獨照，未能沿波討源又不可同日而語！文成，終自感末學膚受，其間疏漏必多，知者進而教之，有厚幸焉。

參考書目

甲、專　書

㈠《詩》類

王先謙《詩三家義集疏》　北京中華書局，一九八　年二月版。
方東潤《詩經原始》　北京中華書局，一九八六年二月版。
竹添光鴻　《毛詩會箋》　臺灣大通書局，民國六十四年九月再版。
孔穎達《毛詩正義》　臺灣中華書局，民國五十五年三月版。
朱　熹《詩經集傳》　世界書局，民國七十年十一月五版。
姚際恆《詩經通論》　香港中華書局，一九六三年版。
胡承拱《詩毛氏傳》、《皇清經解續篇》，臺灣復興書局。
陳啓源《毛詩稽古篇》，同上。
陳　奐《詩毛氏傳疏》，同上。

陳喬樅《三家詩遺說考》，同上。
陳喬樅《四家詩異文箋》，同上。
馬端臨《文獻通考》　新興書局，民國五十二年十月新一版。
馬瑞辰《毛詩傳箋通釋》　臺灣中華書局，民國六十年二月版。
馬振理《詩經本事》　臺灣力行書局，民國二十五年排印本。
劉玉汝《詩纘緒》、《四庫全書》，臺灣商務印書館。
陸　璣《毛詩草木鳥獸蟲魚疏》　臺灣商務印書館，民國二十五年版。
黃　焯《詩說》　長江文藝出版社，一九八一年版。

㈡《左傳》類

孔穎達《春秋左傳正義》　中華書局，一九六四年版。
毛奇齡《春秋毛氏傳》、《皇清經解》本，臺灣復興書局。
竹添光鴻《左傳會箋》　臺灣新文豐出版社，民國六十七年版。
高士奇《左傳紀事本末》　中華書局，一九七九年一月版。
沈欽韓《左傳補注》、《皇清經解》本，臺灣復興書局。
洪亮吉《春秋左傳詁》　北京中華書局，一九八七年版。

馬　驌《左傳事緯》　香港龍門書局，一九六六年六月版。
楊于庭《春秋質疑》、《四庫全書》本，臺灣商務印書館。
楊伯峻《春秋左傳注》　北京中華書局，一九八一年版。
章太炎《春秋左傳讀》　上海人民出版社，一九八四年版。
童書業《春秋左傳研究》　上海人民出版社，一九八〇年版。
劉文淇《春秋左氏傳舊注疏證》　太平書局，一九六六年十月版。
劉逢祿《春秋左傳考》、《皇清經解》本，臺灣復興書局。
顧炎武《左傳杜注補正》，同上。
顧棟高《春秋大事表》，同上。

乙、增　補

王應麟《困學紀聞》　臺灣中華書局，民國五十九年版。
王先謙《漢書補注》　北京中華書局，一九八三年版。
王先謙《後漢書集解》，同上。
王國維《水經注校》　上海人民出版社，一九八四年版。
左丘明《國語》　上海古籍出版社，一九七八年版。

朱子《四書集注》臺灣中華書局，民國五十五年三月版。
何焯《義門讀書記》北京中華書局，一九八七年六月版。
何休《春秋公羊傳何氏解詁》臺灣中華書局，民國五十九年版。
司馬遷《史記》北京中華書局，一九五九年版。
牟潤孫《春秋時代母系遺俗公羊義證》、《新亞學報》，第一期·第三八一葉。
皮錫瑞《鄭志疏證》臺灣世界書局，民國五十二年四月版。
江永《春秋地理考實》、《皇清經解續篇》，臺灣復興書局。
邢昺《爾雅注疏》臺灣藝文印書館、《十三經注疏》本，民國七十一年八月九版。
段玉裁《說文解字注》上海古籍出版社，一九八一年一月版。
張舜徽《說文解字約注》中州書畫社，一九八三年一月版。
孫詒讓《周禮正義》臺灣中華書局，民國五十五年三月版。
陸賈《新語》臺灣新興書局、《漢魏叢書》本，民國六十六年一月版。
焦循《孟子正義》臺灣世界書局、《諸子集成》本，民國六十三年版。
劉向《新序》臺灣新興書局、《漢魏叢書》本，民國六十六年一月版。
劉寶楠《論語正義》臺灣世界書局、《諸子集成》本，民國六十三年版。

劉文典《淮南鴻烈集解》文史哲出版社，民國七十四年版。
蘇文擢師《邃加室講論集》文史哲出版社，民國七十四年版。